DIALOGHI SIMPATICI

A graded introductory reader for beginning students

Carlo Graziano

National Textbook Company
a division of *NTC Publishing Group* • Lincolnwood, Illinois USA

In memoria di mio padre Antonio
questo fiore sbocciato nella sua terra.

C.G.

1996 Printing

Published by National Textbook Company, a division of NTC Publishing Group.
© 1991, 1985 by NTC Publishing Group, 4255 West Touhy Avenue,
Lincolnwood (Chicago), Illinois 60646-1975 U.S.A.
6 7 8 9 ML 9 8 7 6 5 4 3

Dialoghi simpatici

A graded introductory reader for beginning students

DIALOGHI SIMPATICI, an introductory reader for beginning students of Italian, provides reading practice through brief dialogues and situations. The dialogues reinforce communicative language study by recycling familiar conversational expressions that students practice through listening and speaking. Introducing the reading skill through familiar dialogues is an ideal format to help students develop and master the skill of reading in a foreign language.

The thirty dialogues in this book deal with a variety of topics that are frequently part of first-year studies. They are written with high frequency vocabulary and expressions and are supplemented by grammar and structure exercises to aid the students in mastering the skills needed for oral proficiency.

Each dialogue is accompanied by comprehension exercises as well as exercises to stimulate personalization and self-expression. Some of the exercises test comprehension through true-false, multiple choice, completion, and matching formats. Others require the students to respond to questions in Italian and call for originality and personalization.

The *Esercizi* section contains vocabulary, verb, and structure exercises. The vocabulary exercises provide practice with antonyms, word families, cognates, related words, and crossword puzzles. The verb and structure sections include pattern drills, completion exercises, response to questions, and scrambled sentences. In *Dialoghi* 26-30, there are topics for oral and written expression.

In bocca al lupo!

Contents

Introduction   iii

Dialoghi

1. Alla dogana dell'aeroporto internazionale Leonardo da Vinci—Roma

Il signor Bruni è di Roma. Ritorna da un viaggio a Nuova York. Ora si trova nella dogana e parla col doganiere.

IL DOGANIERE:	Benvenuto, signore. Ha fatto un bel viaggio?[1]
IL SIGNOR BRUNI:	Magnifico, signore, un viaggio magnifico. Nuova York è una città stupenda.
IL DOGANIERE:	Ha pronta la dichiarazione?

---

1. **Ha fatto un bel viaggio?** Did you have a good trip?

IL SIGNOR BRUNI: Quale dichiarazione?
IL DOGANIERE: Vino, liquori, sigari, sigarette?
IL SIGNOR BRUNI: Lei è molto gentile, signore. Preferisco un caffellatte.

Riflessioni e ricerche

I. Answer these questions in complete sentences in Italian.

   1. Come si chiama il passeggero?
   2. Di dov'è?
   3. Da dove viene?
   4. Dove si trova ora?
   5. Con chi parla?
   6. Com'è Nuova York?
   7. Cosa chiede il doganiere?
   8. Cosa preferisce il signor Bruni?

II. Domande personali

   1. Come ti chiami?
   2. Di dove sei?
   3. Fai qualche viaggio? Dove vai?
   4. Con chi viaggi?
   5. Dove sei ora?
   6. Preferisci il caffè con o senza latte?
   7. Com'è la tua città?

2. In cucina

Sono le cinque e mezzo. Antonio e la sua mamma stanno in cucina e parlano della cena.

ANTONIO: Mamma, cosa prepari per la cena di stasera?
MAMMA: Preparo una frittata con le cipolle.
ANTONIO: Molto bene. Mi piace la frittata con le cipolle. E' saporita.
MAMMA: Tra un'ora mangiamo.
ANTONIO: Mamma, perchè piangi? Cosa c'è?
MAMMA: Niente, figlio mio. Sono le cipolle che mi fanno piangere.
ANTONIO: E quali ortaggi usi quando vuoi ridere?

Riflessioni e ricerche

I. Match the segments in column A with those in column B.

A	B
1. mi piace	a. mi fanno piangere
2. è una frittata	b. saporita
3. mangiamo	c. sta in cucina
4. Antonio	d. la frittata con le cipolle
5. cosa prepari	e. per la cena di stasera?
6. le cipolle	f. tra un'ora

II. Answer these questions in complete sentences in Italian.
1. Che ora è?
2. Dove stanno Antonio e la sua mamma?
3. Cosa domanda Antonio alla sua mamma?
4. Cosa prepara la mamma di Antonio?
5. Con che è fatta la frittata?
6. A che ora mangiano?
7. Perchè piange la mamma?

III. Domande personali
1. A che ora mangi?
2. Cucini tu? Bene o male?
3. Cosa prepari per la cena? Per la colazione? Per il pranzo?
4. Qual è il tuo cibo preferito?
5. Ti fanno piangere le cipolle?

4

3. In palestra

Ogni mercoledì, Mario e Tonino vanno insieme alla palestra. Amano lo sport, specialmente il calcio. In palestra fanno molti esercizi.

MARIO: Ah, Tonino, tutti dicono che sono grasso e che devo perdere peso.

TONINO: Dopo tutto, loro hanno ragione.

MARIO: E perchè parli così? Non sono mica grasso io!

TONINO: E' da vedere. Quanto pesi?
         (*Mario sale sulla basculla.*)

MARIO: Peso 210 libbre, però questo non è il mio peso vero, perchè sto vestito.

TONINO: Hai ragione; se i tuoi vestiti pesano 60 libbre, non sei grasso, però. . . .

5

Riflessioni e ricerche

I. *Sì* or *no*. Indicate whether these statements are true or false. If the statement is false, make it true.

1. Mario e Tonino vanno in palestra ogni giorno.
2. Loro amano il calcio.
3. In palestra giocano a pallacanestro.
4. Tutti dicono che Mario è grasso.
5. Secondo Tonino, loro hanno ragione.
6. Mario pesa 120 libbre.
7. I vestiti di Mario pesano 60 libbre.

II. Answer these questions in complete sentences in Italian.

1. Come si chiamano i due amici?
2. Dove vanno insieme?
3. Quando vanno lì?
4. Quale sport amano di più?
5. Che fanno in palestra?
6. Cosa dicono tutti di Mario?
7. Secondo Tonino, hanno essi ragione?
8. Su che cosa si pesa Mario?
9. Quanto pesa?
10. Perchè pesa tanto, secondo lui?

III. Domande personali

1. Quale sport ti piace di più?
2. Con chi vai in palestra?
3. Fai molti esercizi lì?
4. Quanto pesi?
5. Secondo te, sei grasso (a) o magro (a)?
   Perchè dici così?

4. In banca

Enzo ed il signor Zullo lavorano insieme in una banca di Caserta. Il signor Zullo è il capo del settore depositi e prestiti, ed Enzo è il cassiere.

ENZO:	Buon giorno, signor Zullo.
IL SIGNOR ZULLO:	Buon giorno, Enzo.
ENZO:	Oggi lei ha un appuntamento molto importante con il direttore della banca.
IL SIGNOR ZULLO:	Sì, (io) lo so. A che ora?
ENZO:	Alle nove e un quarto nel suo ufficio. Mi scusi, signore, posso farLe una domanda in confidenza?
IL SIGNOR ZULLO:	Perchè no? Siamo o non siamo amici?
ENZO:	Molto bene. Chi l'aiuta a vestirsi?

IL SIGNOR ZULLO: Nessuno; sono molti anni che mi vesto da solo. Perchè?

ENZO: Perchè lei porta un calzino rosso ed uno azzurro.

Riflessioni e ricerche

I. Select the word or expression that correctly completes each statement.

1. Enzo ed il signor Zullo lavorano nella stessa (officina, fabbrica, banca).
2. Il signor Zullo è (il fratello, il maestro, il capo) di Enzo.
3. Il signor Zullo ha un (regalo, appuntamento, esame) alle nove e un quarto.
4. Deve parlare con il (cassiere, direttore, contabile) della banca.
5. I due signori sono (amici, cugini, studenti).
6. Il signor Zullo si veste (bene, in fretta, da solo).
7. Il signor Zullo porta (i pantaloni, i calzini, le scarpe) di due colori diversi.

II. Answer these questions in complete sentences in Italian.

1. Dove lavorano i due signori?
2. In quale città si trova la banca?
3. Che fa il signor Zullo? ed Enzo?
4. Con chi ha un appuntamento il signor Zullo?
5. A che ora è l'appuntamento?

III. Domande personali

1. Dove lavora tuo padre e tua madre?
2. C'è una banca nella tua città? Come si chiama?
3. Chi è il preside della tua scuola?
4. A che ora hai la prima (l'ultima) lezione?
5. Di che colore è la tua camicia?
6. Hai molti amici?

5. In una rosticceria

Una signora entra in una rosticceria all'ora dello spuntino. Lei ha fretta ed il cameriere le fa tante domande.

IL CAMERIERE:	Cosa prende oggi?
LA SIGNORA:	Un hamburger e un caffè.
IL CAMERIERE:	Come vuole l'hamburger?
LA SIGNORA:	Ben cotto.
IL CAMERIERE:	Prende anche una cipolla?
LA SIGNORA:	Perchè no?
IL CAMERIERE:	E un pomodoro?
LA SIGNORA:	Sì, grazie.
IL CAMERIERE:	Le do anche un cetriolo?
LA SIGNORA:	Sì, signore. Perchè non porta l'hamburger a passeggio per tutto il giardino?

Riflessioni e ricerche

I. Answer these questions in complete sentences in Italian.
   1. Dove entra la signora?
   2. Che ora è?
   3. Che ha lei?
   4. Cosa prende?
   5. Come vuole l'hamburger?
   6. Quali altre cose le dà il cameriere?
   7. Come risponde la signora?

II. Domande personali
   1. Dove fai lo spuntino?
   2. A che ora?
   3. Insieme a chi?
   4. Cosa prendi?
   5. Come preferisci l'hamburger, ben cotto oppure cotto così così.
   6. Cosa metti sull'hamburger?

6. In un ristorante

Lucia ed Alberto si trovano in un tipico ristorante romano. Hanno appena finito di[1] leggere il menù, quando si avvicina il cameriere per prendere l'ordine.

CAMERIERE: Cosa ordinano?
LUCIA: Qual è il piatto del giorno?
CAMERIERE: Spaghetti all'amatriciana.
LUCIA: Bene, io prendo un piatto di spaghetti all'amatriciana ed una bistecca con contorno di patate fritte.
ALBERTO: Io prendo un piatto di fettuccine alla romana con porchetta e carciofi alla giudia.

---

1. **Hanno appena finito di.** They have just finished.

(*Il cameriere serve i piatti.*)

ALBERTO: Ah, come sono saporite queste fettuccine. Come sono gli spaghetti all'amatriciana? Perchè non li mangi?

LUCIA: Perchè accanto agli spaghetti vedo nel piatto qualcosa che non ho ordinato.[2]

ALBERTO: Non sai che gli spaghetti all'amatriciana contengono pecorino, guanciale, cipolla e pomodoro?

LUCIA: Grazie, adesso lo so.

---

2. **qualcosa che non ho ordinato** something that I have not ordered

Riflessioni e ricerche

I. *Sì* or *no*. Indicate whether these statements are true or false. If the statement is false, make it true.

1. Lucia ed Alberto si trovano in un ristorante.
2. Spaghetti all'amatriciana è il piatto del giorno.
3. Alberto chiede una bistecca con contorno di patate fritte.
4. Le fettuccine sono saporite.
5. Lucia mangia tutto il piatto di spaghetti all'amatriciana.
6. Gli spaghetti all'amatriciana non hanno pecorino, guanciale, cipolla e pomodoro.

II. Answer these questions in complete sentences in Italian.

1. Dove stanno Lucia ed Alberto?
2. Chi li serve?
3. Qual è il piatto del giorno?
4. Cosa ordina Lucia?
5. Cosa ordina Alberto?
6. Come sono le fettuccine?
7. Perchè Lucia non mangia gli spaghetti?

III. Domande personali

1. Generalmente dove mangi tu?
2. Qual è il tuo cibo preferito?
3. Vai spesso al ristorante?
4. Chi paga il conto quando vai al ristorante?

7. Nella stanza da letto di Peppino

Il papà entra nella stanza da letto di Peppino. Peppino non sta facendo niente[1] ed il suo papà gli domanda se, per caso, non ha da studiare.

PEPPINO: Ciao, papà. Come stai?
IL PAPÀ: Bene, grazie, e tu?
PEPPINO: Molto bene; ringrazio Dio perchè oggi è venerdì.
IL PAPÀ: Hai compiti per lunedì?
PEPPINO: Solo un poco.
IL PAPÀ: Fammi vedere quello che devi fare.
PEPPINO: Ecco, vedi.

---

1. **non sta facendo niente** is doing nothing

IL PAPÀ: Vedo che hai molto lavoro da fare. Perchè dici che ne hai solo un poco?

PEPPINO: Perchè è esattamente quello che voglio fare, un poco. . . .

Riflessioni e ricerche

I. Match the segments in column A with those in column B.

A	B
1. Come stai?	a. poco
2. Ringrazio Dio	b. ha solo un poco
3. Peppino ha compiti	c. perchè oggi è venerdì
4. Non ha molto:	d. Bene, grazie.
5. Vuole fare	e. per lunedì

II. Answer these questions in complete sentences in Italian.
  1. Dove entra il papà di Peppino?
  2. Che sta facendo Peppino?
  3. Come sta Peppino?
  4. Ha compiti per lunedì Peppino?
  5. Secondo il papà, quanto lavoro ha Peppino?
  6. Perchè Peppino dice che ha poco lavoro da fare?

III. Domande personali
  1. Hai molti compiti ogni giorno?
  2. Dove prepari i tuoi compiti?
  3. Ti piace studiare?
  4. Con chi studi?
  5. Quale giorno della settimana preferisci?

8. Per la strada

E' il fine-settimana. Due fratellini stanno giocando[1] per la strada, mentre il loro papà sta uscendo di casa.

GENNARO: Guarda, Vincenzo. Papà è lì ed ha in mano le chiavi della macchina.
VINCENZO: Sì. Dove va?
GENNARO: Non lo so, però andiamo con lui.
VINCENZO: Papà, papà. Esci? Possiamo venire con te?
PAPÀ: Sì, però dovete comportarvi bene.
GENNARO: Io mi siedo a fianco a papà.
VINCENZO: No. Tu, invece, ti siedi lì. Io mi siedo a fianco a papà.

---

1. **stanno giocando** . . . are playing

PAPÀ: Bambini, per piacere. Non è un viaggio lungo.
GENNARO: Vuoi dire che scendiamo subito dalla macchina?
PAPÀ: Proprio così.
             (*La mamma esce di casa.*)
MAMMA: Sentite. Dove andate?
PAPÀ: A parcheggiare la macchina.

Riflessioni e ricerche

I. Select the word or expression that completes each statement.

1. E' (domenica, mercoledì, lunedì).
2. I fratellini (corrono, saltano, giocano) per la strada.
3. (Un altro fratello, un cugino, il papà) sta uscendo di casa.
4. Tiene in mano (i giocattoli, i guanti, le chiavi).
5. I fratellini possono (aiutare, accompagnare, salutare) il padre.
6. Vincenzo vuole sedersi (lontano dal, davanti al, a fianco al) padre.
7. Non è un viaggio (corto, lungo, difficile).
8. Il papà va a (riparare, lavare, parcheggiare) la macchina.

II. Answer these questions in complete sentences in Italian.

1. Dove stanno i fratellini?
2. Che fanno?
3. Chi esce di casa?
4. Che tiene in mano il papà?
5. Che vogliono fare i fratellini?
6. Dove vogliono sedersi i fratellini?
7. E' un viaggio lungo?
8. Quando dovranno scendere dalla macchina?
9. Chi desidera sapere dove vanno?
10. Dove vanno?

III. Domande personali

1. Dove giochi tu?
2. A che cosa ti piace giocare?
3. Ha una macchina la tua famiglia?
4. Di che colore è la tua macchina?
5. Ti piacciono le macchine?
6. Dove vai in macchina?

9. Nell'aula di scienze

Gli alunni di biologia si trovano nell'aula di scienze.
Parlano delle malattie. Il professore spiega la
lezione.

IL PROFESSORE:	Oggi studiamo le cause ed i sintomi delle malattie. Perchè le persone si ammalano?
TINA:	Per il mal tempo.
NICOLA:	Perchè non mangiano bene.
DONATO:	Per i microbi.
IL PROFESSORE:	Molto bene; avete ragione. Dunque, qual è un sintomo che una persona non si sente bene?
ALFONSO:	La persona dorme molto.
IL PROFESSORE:	E quale microbo causa il sonno?
CARLETTO:	La televisione.

Riflessioni e ricerche

I. Answer these questions in complete sentences in Italian.
1. Dove si trovano gli alunni?
2. Chi insegna il corso di biologia?
3. Cosa studiano oggi gli alunni?
4. Quali sono due cause delle malattie?
5. Cosa fa una persona quando non si sente bene?
6. Qual è la causa del sonno, secondo Carletto?

II. Domande personali
1. Quale corso di scienze frequenti?
2. Ti piace questo corso oppure no?
3. Come ti senti oggi?
4. Cosa fai quando non ti senti bene?
5. Chi chiami quando stai malato?
6. Ti addormenti quando vedi la televisione? Perchè?

10. Alla fontana di Trevi

I novelli sposi Nicola e Tina stanno trascorrendo la luna di miele a Roma. Visitano i vari monumenti della città ed arrivano alla famosa e leggendaria fontana di Trevi.

NICOLA: Credo che ci siamo! Che bella fontana! Che dice la guida turistica?

TINA: E' una fontana molto antica che porta fortuna.

NICOLA: Che altro?

TINA: Secondo una leggenda, se una persona butta una moneta nella fontana è certa di far ritorno a Roma.

NICOLA: Vuoi buttare una moneta?

TINA: Sì, senz'altro. Però non ho nemmeno una moneta.

NICOLA: (*Fruga in tutte le tasche*) E nemmeno io; però ho una carta di credito.

Riflessioni e ricerche

I. *Sì* or *no.* Indicate whether these statements are true or false. If the statement is false, make it true.

1. Nicola e Tina sono due sposini.
2. Visitano Firenze.
3. Milano è la capitale d'Italia.
4. Visitano i ristoranti più famosi.
5. Arrivano ad un ponte antico.
6. Tina legge la descrizione della fontana in una rivista.
7. La fontana porta fortuna alle persone che la visitano.
8. Per avere fortuna gli sposini devono leggere una poesia.
9. Tina ha molte monete.
10. Nicola dice che ha soltanto una carta di credito.

II. Answer these questions in complete sentences in Italian.

1. In quale città si trovano Nicola e Tina?
2. Perchè stanno lì?
3. Che fanno oggi?
4. Cosa desiderano conoscere?
5. Com'è la fontana di Trevi?
6. Porta fortuna ai turisti?
7. Perchè i turisti buttano una moneta nella fontana?
8. Tina ha con sè delle monete oppure no?
9. Dove cerca Nicola una moneta?
10. Cosa trova in tasca Nicola?

III. Domande personali

1. Dove vai a passare le vacanze?
2. Ti piace andare a passeggio per la città?
3. Quali luoghi ti piace visitare?
4. Quante monete hai in tasca o nella borsetta?
5. Quale desiderio vuoi realizzare?
6. Quando usa tuo padre (tua madre) una carta di credito?

11. In casa

Arturo studia tutta la notte per prepararsi ad un esame. Il giorno seguente, all'ora di alzarsi per andare a scuola, ha un problema.

(*La sera precedente*)
MAMMA: Arturo, che fai?
ARTURO: Studio.
MAMMA: Perchè? Hai un esame?
ARTURO: Sì, domani ho un esame di matematica.
          (*Il giorno seguente*)
MAMMA: Àlzati,[1] Arturo. E' già tardi.
ARTURO: Ah!, mamma, non mi sento bene.

---

1. Àlzati get up

MAMMA: Che ti succede? Hai la febbre?

ARTURO: Non credo. Mi fa male lo stomaco.

MAMMA: Non puoi andare a scuola?

ARTURO: Non credo. Voglio dormire un altro poco.
(*Più tardi*)

MAMMA: Vado a chiamare il medico.

ARTURO: Non è necessario, mamma. Ora mi sento meglio. Non ho più il mal di stomaco.

Riflessioni e ricerche

I. *Sì* or *no*. Indicate whether these statements are true or false. If the statement is false, make it true.

1. Arturo ha un esame d'italiano.
2. Arturo si sente male durante la notte.
3. Ha la febbre alta.
4. Gli fa male lo stomaco.
5. Arturo può andare a scuola.
6. Non può più dormire.
7. Sua madre chiama il medico.
8. Arturo si sente meglio.

II. Answer these questions in complete sentences in Italian.

1. Che fa Arturo durante la notte?
2. Quale materia studia?
3. Perchè studia?
4. Come si sente Arturo il giorno seguente?
5. Che gli fa male?
6. Che vuol fare Arturo?
7. Che decide di fare sua madre?
8. Perchè non è più necessario farlo?

III. Domande personali

1. Quando studi per gli esami?
2. Con chi studi?
3. Ti piace andare a scuola?
4. Generalmente quando stai malato, cosa ti fa male?
5. Come si chiama il tuo medico?

12. Sulla porta di casa

Roberto e Mariella vanno a scuola sempre insieme.
Roberto bussa alla porta di casa di Mariella; esce la
madre.

ROBERTO:	Buon giorno, signora. E' pronta Mariella per andare a scuola?
LA SIGNORA:	Mi dispiace, ma oggi lei non può venire a scuola.
ROBERTO:	E perchè? Oggi non abbiamo alcun compito d'italiano in classe e, per giunta, Mariella è la presidentessa del circolo italiano.
LA SIGNORA:	Non è per questo, ragazzo mio. Ieri Mariella è caduta.[1] Ora ha un forte dolore alle gambe e non può camminare.

---

1. è caduta fell down

ROBERTO:	E non consultate un medico?
LA SIGNORA:	Vediamo prima come si mettono le cose.
ROBERTO:	Ahi, perchè non ho anch'io la stessa fortuna?
LA SIGNORA:	Non dir così,[2] ragazzo mio.
ROBERTO:	(*Rivolto a se stesso*) E che devo fare per perdere anch'io un giorno di scuola?

2. **non dir così** don't say that

Riflessioni e ricerche

I. Answer these questions in complete sentences in Italian.

1. Con chi va a scuola Roberto?
2. A quale porta bussa?
3. Chi esce di casa?
4. E' pronta Mariella per andare a scuola?
5. Perchè Mariella non può andare a scuola?
6. Consulta un medico la madre di Mariella?
7. Cosa desidera avere Roberto?
8. Cosa desidera perdere Roberto?

II. Domande personali

1. Con chi vai a scuola tu?
2. A che ora esci di casa?
3. Come vai a scuola?
4. La scuola si trova vicino o lontano da casa tua?
5. Perchè a volte non vai a scuola?
6. Ti piacciono tutte le materie?
7. Quale materia di piace di più? e quale di meno?

13. Ad una festa

C'è una festa in casa di Pietro. Egli ed i suoi amici si divertono molto. Il fratellino di Pietro sta lì con loro.

CARLO: E' una festa molto divertente, però c'è un problema.
PIETRO: Dimmi,[1] qual è?
CARLO: E' il tuo fratellino. Dà fastidio a tutti.
PIETRO: Mi dispiace. Vado a parlare con lui.
          (*Pietro chiama il suo fratellino.*)
PIETRO: Senti, Corrado. Vieni qui.
CORRADO: Cosa vuoi?
PIETRO: Fido, il cagnolino, deve uscire. Perchè non lo porti a passeggio?

---

1. **Dimmi** tell me

CORRADO: Ah, no. Voglio restare qui. Mi piace la festa e Fido non deve uscire.

CARLO: Ho un'idea migliore. Devi portare a passeggio la tua tartaruga; così non tornerai che molto tardi.

Riflessioni e ricerche

I. Select the response that best answers each question.

1. Com'è la festa?
    a. tranquilla   c. divertente
    b. noiosa   d. importante
2. Quale problema c'è?
    a. Non c'è cibo abbastanza.
    b. I ragazzi non vogliono ballare.
    c. Gli invitati non vogliono uscire.
    d. Il fratellino di Pietro dà fastidio a tutti.
3. Cosa deve fare Corrado?
    a. Andare a letto.   c. Uscire col cane.
    b. Starsene in cucina.   d. Ballare.
4. Perchè Corrado non ubbidisce?
    a. Gli piace la festa.   c. E' molto tardi.
    b. Fido non si sente bene. d. Ha paura di uscire solo.
5. Che idea ha Carlo?
    a. Va a parlare con i genitori di Corrado.
    b. Corrado deve far uscire la tartaruga per la strada.
    c. Gli amici devono ritornare a casa loro.
    d. Corrado deve giocare con la tartaruga in mezzo alla sala da ballo.
6. Perchè Carlo ha quest'idea?
    a. Vuole aiutare Corrado.
    b. Gli animali devono uscire.
    c. La presenza del fratellino alla festa non piace agli amici.
    d. La festa termina molto tardi.

II. Answer these questions in complete sentences in Italian.

1. Dove ha luogo la festa?
2. Quanto si divertono gli amici?
3. Chi altro sta lì alla festa?
4. Quale problema c'è?
5. Chi deve portare Corrado a passeggio?
6. Perchè non vuole farlo?
7. Qual è l'idea di Carlo?

III. Domande personali

1. Dai molte feste in casa tua?
2. Chi inviti alle tue feste?
3. Ti piace ballare?
4. Hai fratellini o sorelline?
5. Ti piace avere gli amici in casa tua?
6. A che ora terminano le tue feste?

14. In un club

Elisa ed Alessandro stanno in un club. Hanno appena finito di ballare, quando Alessandro dà un pacchettino ad Elisa.

ELISA:	Che è?
ALESSANDRO:	E' un regalo.
ELISA:	Per chi è?
ALESSANDRO:	Per te, naturalmente.
ELISA:	Posso aprirlo?
ALESSANDRO:	Perchè no?
	(Elisa apre il regalo.)
ELISA:	E' un orologio.
ALESSANDRO:	Ti piace?
ELISA:	E' bellissimo, però. . . .

ALESSANDRO:	(*La interrompe*) Però che cosa?
ELISA:	Però già ho due orologi ed uno è d'oro.
ALESSANDRO:	Ed ora ne hai tre.
ELISA:	Preferisco il denaro.
ALESSANDRO:	Non posso darti il denaro. Non posso comprare il denaro con la carta di credito che ho.

Riflessioni e ricerche

I. Answer these questions in complete sentences in Italian.

1. Dove stanno Elisa ed Alessandro?
2. Che dà Alessandro ad Elisa?
3. Per chi è il regalo?
4. Che c'è nel pacchettino?
5. Com'è il regalo?
6. Perchè Elisa non vuole accettarlo?
7. Cosa preferisce invece?
8. Perchè Alessandro non può dare denaro ad Elisa?

II. Domande personali

1. Sei socio di un club?
2. Quando vai lì?
3. Ti piacciono i regali?
4. Che regalo desideri ricevere per il tuo compleanno? e per Natale?
5. Ti piace fare un regalo? A chi?
6. Per quale scopo usi il denaro?

29

15. In una pasticceria

Una signora entra in una pasticceria per comprare dei dolci. La commessa la serve.

SIGNORA: Che c'è di buono oggi?
COMMESSA: Abbiamo delle cassate siciliane molto saporite.
SIGNORA: Come profumano! Me ne dia una,[1] per piacere.
COMMESSA: Va bene. Gliela taglio io, o vuole tagliarla Lei?
SIGNORA: Faccia Lei.
COMMESSA: Quante fette devo tagliare, sei oppure otto?
SIGNORA: Sei, per piacere. Sono a dieta.

---

1. **Me ne dia una** Give me one

I. Select the word that best completes each statement.

1. La signora si trova in una (rosticceria, panetteria, pasticceria).
2. Vuole comprare dei (limoni, dolci, vestiti).
3. Le cassate siciliane sono (costose, saporite, disgustevoli).
4. La commessa (mangia, compra, taglia) la cassata siciliana.
5. La signora desidera sei (cassate, fette, uova).
6. La signora è (felice, stanca, a dieta).

II. Answer these questions in complete sentences in Italian.

1. Dove entra la signora?
2. Cosa vuole comprare?
3. Cosa domanda?
4. Come sono le cassate siciliane?
5. Quante cassate compra la signora?
6. Chi taglia la cassata siciliana?
7. Quante fette vuole la signora?
8. Perchè vuole questo numero?

III. Domande personali

1. Vai mai a fare la spesa?
2. C'è un negozio vicino a casa tua?
3. Dove vai a comprare il cibo?
4. Ti piace la cassata siciliana? e la pizza?
5. Sei a dieta?

16. In una lavanderia

Una signora entra in una lavanderia per ritirare la sua veste. Parla col lavandaio.

IL LAVANDAIO:	Buona sera, signora.
LA SIGNORA:	Buona sera. E' pronta la mia veste?
IL LAVANDAIO:	Credo di sì. Ha lo scontrino?
LA SIGNORA:	Eccolo.
	(*Il lavandaio cerca la veste. Pochi minuti dopo . . .*)
LA SIGNORA:	Non la trova?
IL LAVANDAIO:	No, signora. S'è perduta.[1]
LA SIGNORA:	Come s'è perduta? E' la mia veste preferita ed è per giunta elegante e costosa.

---

1. **S'è perduta** it was lost

IL LAVANDAIO: Mi dispiace; però lei mi deve diecimila lire.
LA SIGNORA: Diecimila lire? E perchè?
IL LAVANDAIO: Abbiamo pulito la veste prima di perderla.

Riflessioni e ricerche

I. Match the segments in columns A and B.

A	B
1. Una signora entra	a. al lavandaio.
2. Desidera prendere	b. è una veste costosa.
3. Lei dà lo scontrino	c. diecimila lire.
4. Il lavandaio non può	d. prima di perderla.
5. La signora dice che	e. la sua veste.
6. Il lavandaio le chiede	f. trovare la veste.
7. Hanno pulito la veste	g. in una lavanderia.

II. Answer these questions in complete sentences in Italian.

1. Dove entra la signora?
2. Cosa desidera ritirare?
3. Cosa le chiede il lavandaio?
4. Il lavandaio trova le veste della signora?
5. Perchè non la trova?
6. Com'è la veste?
7. Quanto deve la signora al lavandaio?
8. Perchè?

III. Domande personali

1. A quale negozio porti a pulire i tuoi panni?
2. E' vicino o lontano da casa tua?
3. Cosa ti serve per ritirare i tuoi panni dalla lavanderia?
4. Com'è la tua veste preferita (il tuo abito preferito)?
5. Quanto paghi per far pulire i tuoi panni?

33

17. In chiesa

E' un momento di grande gioia per Graziella; sta per sposarsi con Nicola. Gino, un caro amico dello sposo, aiuta gli invitati a prendere posto, prima che la cerimonia cominci. Entra in chiesa una signora sola.

GINO: Buon giorno, signora. Mi permette di accompagnarLa al suo posto?

LA SIGNORA: Grazie! Lei è molto gentile.

GINO: Non La conosco. Lei deve essere amica della sposa, non è vero?

LA SIGNORA: (*Gridando*) Io, amica della sposa? Ma che dici? Io sono la madre dello sposo.

Riflessioni e ricerche

I. *Sì* or *no.* Indicate whether these statements are true or false. If the statement is false, make it true.
  1. Graziella si sposa con Gino.
  2. Gino è un caro amico di Nicola.
  3. Una donna entra in chiesa sola.
  4. Gino crede che lei sia la sposa.
  5. La signora è la nonna di Nicola.

II. Answer these questions in complete sentences in Italian.
  1. Dove stanno Graziella e Nicola?
  2. Perchè stanno lì?
  3. Chi è Gino?
  4. Che fa Gino in chiesa?
  5. Quando prendono posto gli invitati?
  6. Chi li aiuta?
  7. Chi entra sola?
  8. La conosce Gino?
  9. Chi crede Gino che sia questa signora?
  10. Chi è questa signora?

III. Domande personali
  1. Desideri sposarti?
  2. Hai un fidanzato (una fidanzata)?
  3. Come si chiama il tuo fidanzato (la tua fidanzata)?
  4. Come si chiama il tuo migliore amico (la tua migliore amica)?
  5. Partecipi mai ad una cerimonia nuziale?
  6. Ricordi ancora come si chiamano gli sposi?

18. In una cartoleria

Due amici, Mario e Gennaro, s'incontrano per caso in una grande cartoleria di Napoli.

MARIO: Che fai qui?
GENNARO: Cerco una cartolina d'auguri per un compleanno.
MARIO: E' per me, non è vero?
GENNARO: E perchè deve essere per te?
MARIO: Perchè festeggio il mio compleanno lunedì prossimo.
GENNARO: Il tuo compleanno? Ah, non lo sapevo.[1]
MARIO: Sì, però non devi sciupare denaro a comprare la cartolina d'auguri. Leggimi[2] solo quello che c'è scritto[3] e dammi[4] il regalo.

---

1. **non lo sapevo** I didn't know it   2. **Leggimi** Read to me   3. **c'è scritto** it is written there
4. **dammi** give me

Riflessioni e ricerche

I. Match the segments in column A with those in column B to form a sentence.

A	B
1. Due amici	a. Mario festeggia il suo compleanno lunedì prossimo.
2. Gennaro cerca	b. un regalo dal suo amico.
3. Mario crede che	c. una cartolina d'auguri per un compleanno.
4. Gennaro non sa che	d. s'incontrano in una cartoleria.
5. Mario gli dice che	e. la cartolina sia per lui.
6. Mario spera di ricevere	f. non deve comprare una cartolina.

II. Answer these questions in complete sentences in Italian.

1. Dove s'incontrano i due amici?
2. Cosa cerca Gennaro?
3. Perchè Mario crede che la cartolina d'auguri sia per lui?
4. E Gennaro lo sapeva?
5. Deve Gennaro sciupare il proprio denaro, comprando una cartolina d'auguri?
6. Cosa desidera ricevere Mario?

III. Domande personali

1. Quando festeggi il tuo compleanno?
2. Quando è il compleanno di tua madre? di tuo padre? del tuo amico? della tua amica?
3. Mandi una cartolina d'auguri?
4. Dove compri le cartoline d'auguri?
5. Ricevi molti regali il giorno del tuo compleanno?
6. Dai quest'anno una festa per il tuo compleanno?

19. Ad un banchetto

E' la prima volta che Fernando e sua moglie Caterina vanno insieme ad un banchetto. Hanno finito[1] di pranzare e stanno per prendere il rinfresco.

CATERINA: Ah, Fernando, quante volte vai al tavolo per il rinfresco?

FERNANDO: E' un gelato molto squisito e a vari gusti: fragola, vaniglia, cioccolata, pistacchio e.....

CATERINA: (*Interrompendolo*) E basta. E' la quinta volta che sei andato[2] a ripetere il rinfresco.

FERNANDO: Sì, e ti dico che è veramente gustoso.

---

1. **Hanno finito** They have finished   2. **sei andato** have gone

CATERINA: E non hai vergogna?

FERNANDO: Vergogna? E di che? Io dico sempre agli altri invitati che il gelato è per te.

Riflessioni e ricerche

I. Select the word that completes each statement.

1. Fernando e sua moglie stanno ad un (concerto, banchetto, festival).
2. E' l'ora di prendere (la cena, l'aperitivo, il rinfresco).
3. Il (tè, pranzo, gelato) è a vari gusti.
4. La signora Caterina s'infastidisce perchè Fernando va molte volte al (banchetto, tavolo, concerto).
5. Fernando dice che il rinfresco è (regolare, sufficiente, molto squisito).
6. Fernando non ha (paura, fretta, vergogna) di mangiare molto.
7. Fernando dice che tutti i gelati sono per (la moglie, gli invitati, sè).

II. Answer these questions in complete sentences in Italian.

1. Dove si trovano Fernando e sua moglie?
2. Cosa stanno per prendere in quel momento?
3. Cosa domanda Caterina a Fernando?
4. Cosa servono come rinfresco?
5. A quanti gusti è il gelato?
6. Quante volte va Fernando al tavolo?
7. Com'è il gelato?
8. Ha vergogna Fernando di ripetere il rinfresco?
9. Secondo Fernando, per chi è il gelato?

III. Domande personali

1. Vai a molti banchetti?
2. Ti piace il pranzo che servono?
3. Che tipo di rinfresco preferisci?
4. A quale gusto preferisci il gelato?
5. Quanti gelati riesci a mangiare in una serata?

20. In salotto

E' un sabato pomeriggio. Il signor Viscucci legge il giornale in salotto. Sua moglie ha appena finito di fare delle compre e parla con lui.

LA SIGNORA: Guarda cosa ho comprato oggi.

IL SIGNORE: Che è?

LA SIGNORA: E' stoffa. L'ho comprata[1] perchè voglio farti una cravatta per il tuo onomastico.

IL SIGNORE: Una cravatta? E perchè ti serve tanta stoffa?

LA SIGNORA: Perchè con la stoffa che supera voglio farmi una gonna.

---

1. **L'ho comprata** I bought it

Riflessioni e ricerche

I. Select the response that best answers each question or completes each statement.

1. Che giorno è?
   - a. venerdì
   - b. sabato
   - c. lunedì
   - d. giovedì

2. Che fa il signor Viscucci?
   - a. Guarda la televisione.
   - b. Gioca col cane.
   - c. Pulisce il salotto.
   - d. Legge il giornale.

3. Da dove torna sua moglie?
   - a da fare una compra
   - b. dal cinema
   - c. dal teatro
   - d. da fare una visita

4. Che fa lei in questo momento?
   - a. Prepara la cena.
   - b. Guarda il cane.
   - c. Parla a telefono.
   - d. Mostra la sua compra.

5. Lei ha comprato della stoffa per
   - a. fare delle tendine nuove.
   - b. fare un regalo.
   - c. venderla alle sue amiche.
   - d. rattoppare un abito.

6. Cosa vuol fare con la stoffa che supera?
   - a. Restituirla al negozio.
   - b. Cucire qualcosa per sè.
   - c. Regalarla a sua sorella.
   - d. Metterla nel guardaroba.

II. Answer these questions in complete sentences in Italian.

1. Che giorno è?
2. Dove si trova il signor Viscucci?
3. Che fa lì?
4. Che ha finito di fare sua moglie?
5. Che ha comprato?
6. Che vuol fare per suo marito? Perchè?
7. Che vuol fare con la stoffa che supera?
8. Ha comprato lei abbastanza stoffa?

III. Domande personali

1. Sai cucire?
2. Ti piace cucire il tuo vestito?
3. Dove vai tu a fare delle compre?
4. Quando ti piace andare a fare delle compre?
5. Cosa ti piace comprare?

21. Nella dispensa

Vincenzo ha l'abitudine di aprire e chiudere con una certa frequenza la porta del frigorifero e della dispensa. Cerca qualcosa da mangiare. Ora si trova in cucina con suo padre.

VINCENZO: (*Chiude il frigorifero.*) Non c'è mai niente da mangiare in questa casa.

PAPÀ: Come puoi dire questo? Tua madre è appena tornata dal supermercato e c'è tanto da mangiare. Tra ieri ed oggi ha speso più di cento dollari in generi alimentari.

VINCENZO: Sì, però non trovo mai niente di mio gusto.
(*Il padre apre la porta del frigorifero e mostra gli scaffali.*)

PAPÀ:	Guarda che abbondanza di viveri! C'è il prosciutto, la mortadella, la ricotta, la marmellata, il provolone, la mozzarella.
VINCENZO:	Però a me non piace niente di tutto questo.
PAPÀ:	(*Apre i cassetti.*) E qui ci sono i pomodori, i peperoni, i carciofi, i finocchi, i piselli.
VINCENZO:	Però queste cose non mi piacciono.
PAPÀ:	E nella porta c'è una mela, una pera, una pesca, un'albicocca, una banana e un'arancia. (*Il figlio esce dalla cucina.*)
MAMMA:	Forse Vincenzo non sa quello che vuole. Ha fame dopo che ha passato in rivista tutto quello che c'è nel frigorifero?
PAPÀ:	Certamente no. Vincenzo ha ragione: non c'è niente da mangiare!

Riflessioni e ricerche

I. Rearrange these statements according to the sequence of the dialogue.

1. Il padre passa in rassegna tutto quello che c'è nel frigorifero.
2. Sua madre è appena tornata dal supermercato.
3. Nel frigorifero non c'è niente da mangiare.
4. Vincenzo apre e chiude sempre la porta del frigorifero e della dispensa.
5. Suo padre gli mostra quello che c'è nel frigorifero.
6. Egli cerca qualcosa da mangiare.
7. Vincenzo esce dalla cucina.
8. Vincenzo non trova mai niente di buono da mangiare.
9. Suo padre dice che Vincenzo ha ragione.
10. Sua madre ha speso più di cento dollari.

II. Answer these questions in complete sentences in Italian.

1. Che abitudine ha Vincenzo?
2. Che cerca nel frigorifero?
3. Che vi trova?
4. Quanto ha speso sua madre al supermercato?
5. Che mostra a Vincenzo il suo papà?
6. Che c'è nei cassetti?

7. Che c'è nella porta?
8. Perchè Vincenzo esce dalla cucina?
9. Chi ha ragione?
10. Perchè il padre dice questo?

III. Domande personali

1. Cerchi qualcosa da mangiare nel frigorifero di casa tua?
2. Che trovi da mangiare?
3. Quando fai questo?
4. Perchè lo fai?
5. Quanto spende tua madre al supermercato ogni settimana?
6. Quale genere di vitto ti piace di più?

22. Ad un veglione di Carnevale

E' febbraio, il periodo di Carnevale. Mirella è stata a parecchie feste da ballo in casa di amici. Ora si trova in casa della sua amica Monica per il veglione. Arriva suo padre per condurla a casa.

PAPÀ: Ciao, Mirella. Come è andato il veglione?

MIRELLA: Molto bene, papà. Mi sono divertita moltissimo perchè sono venuti molti amici miei. Guarda queste decorazioni originali che Monica ha preparato.

PAPÀ: Sono molto belle, però ora abbiamo fretta. Andiamo.

MIRELLA: Si, però ho appeso il mio cappotto all'attaccapanni.

PAPÀ: Va' a prenderlo ed andiamo via subito.

45

(*Escono di casa e camminano per la strada.*)

PAPÀ: Mirella, dammi[1] la mano. (*Mirella tira fuori la mano dalla tasca.*) Ah, ma che è questo? Perchè hai la mano così fredda ed appicciocosa?

MIRELLA: Siccome sono uscita dalla festa prima del tempo, non ho finito di mangiare e . . . ho messo il gelato ed i dolci nella tasca del cappotto.

---

1. **dammi** give me

Riflessioni e ricerche

I. *Sì* or *no.* Indicate whether these statements are true or false. If the statement is false, make it true.

1. Mirella è stata a poche feste da ballo.
2. Suo padre viene al veglione.
3. A Mirella non è piaciuto il veglione.
4. Mirella ha preparato le decorazioni.
5. Mirella esce molto tardi dalla festa.
6. Mirella ha la mano calda.
7. Mirella ha messo il gelato nella tasca del cappotto.

II. Answer these questions in complete sentences in Italian.

1. In che mese si celebra il Carnevale?
2. Dove è stata Mirella?
3. Dove si trova ora Mirella?
4. Chi è venuto per condurla a casa?
5. Che ha preparato Monica?
6. Dov'è il cappotto di Mirella?
7. Mirella esce presto o tardi dalla festa?
8. Perchè Mirella ha la mano fredda ed appiccicosa?

III. Domande personali

1. Sei mai stato ad una festa da ballo?
2. E ad un veglione di Carnevale?
3. E ad un veglione di Capodanno?
4. Sai decorare la sala per una festa da ballo?
5. Ti piace andare ad una festa da ballo insieme ai tuoi amici?

23. In casa di un avvocato

Un elettricista lavora in casa di un avvocato per riparare i fili della luce. Sta per andarsene e parla con l'avvocato.

L'ELETTRICISTA: Sto quasi per finire il lavoro.
L'AVVOCATO: Può darmi il conto adesso?
L'ELETTRICISTA: Sì, certamente.
(*L'elettricista comincia a fare il calcolo. Pochi minuti dopo, dà il conto all'avvocato.*)
L'AVVOCATO: Perdinci! Cinquecentosettantacinque dollari? Questo significa che il Suo lavoro costa più di cento dollari l'ora. Neanche io che sono avvocato guadagno tanto!
L'ELETTRICISTA: Capisco. Per questo io ho smesso di fare l'avvocato ed ora faccio l'elettricista.

Riflessioni e ricerche

I. Select the word that best completes each statement.

1. Un (idraulico, pittore, elettricista) lavora in casa di un avvocato.
2. Egli ripara (il conto, la luce, la tubatura) dell'avvocato.
3. L'avvocato gli chiede (l'assegno, il resto, il conto).
4. L'elettricista comincia a (sbagliare, fare, cambiare) il calcolo.
5. L'elettricista guadagna (molto, poco, giusto).
6. Prima di fare l'elettricista, il signore faceva (il medico, l'avvocato, il professore).

II. Answer these questions in complete sentences in Italian.

1. Chi lavora in casa dell'avvocato?
2. Cosa ripara?
3. Cosa gli chiede l'avvocato?
4. Quanto tempo impiega a fare il calcolo?
5. Quanto è il conto?
6. Quanto costa all'ora il lavoro dell'elettricista?
7. Chi guadagna più denaro, l'avvocato o l'elettricista?
8. Prima di farsi elettricista, cosa faceva il signore?

III. Domande personali

1. Che lavoro desideri fare nel futuro?
2. Come si guadagna da vivere tuo padre? e tua madre?
3. Vuoi guadagnare molto denaro? perchè?
4. Quanto denaro vuoi guadagnare?
5. Ti piace il tipo di lavoro che fa l'elettricista? e l'avvocato?

24. Dal barbiere

Giulio entra in un negozio di barbiere. E' la seconda volta che viene qui per farsi tagliare i capelli.

IL BARBIERE:	Buon giorno, signore. Si accomodi, per piacere.[1]
GIULIO:	Buon giorno.
IL BARBIERE:	Come desidera il taglio?
GIULIO:	Usi le forbici per tagliarmi i capelli e li lasci corti sul lato sinistro.
IL BARBIERE:	E lo stesso sul lato destro?
GIULIO:	No. Lì lasci i capelli molto lunghi. Desidero coprire l'orecchio destro e mettere in mostra quello sinistro.
IL BARBIERE:	Ma, signore. . . .

---

1. **Si accomodi, per piacere** sit down, please

GIULIO:	(*Lo interrompe*) E tagli i capelli davanti molto, ma molto corti.
IL BARBIERE:	Ma, signore, non posso tagliarLe i capelli in questo modo.
GIULIO:	Non capisco perchè non può; così me li tagliò l'ultima volta che venni qui.

Riflessioni e ricerche

I. Match each segment in Column A with a segment from column B to form a complete sentence.

A		**B**	
1.	Il signore entra in	a.	essere lunghi.
2.	Il signore desidera	b.	non può tagliare i capelli così.
3.	Vuole il taglio	c.	farsi tagliare i capelli.
4.	I capelli sul lato sinistro debbono	d.	l'ultima volta.
		e.	un negozio di barbiere.
5.	I capelli sul lato destro debbono	f.	essere molto corti.
		g.	con le forbici.
6.	Il barbiere dice che		
7.	Il barbiere così tagliò i capelli		

II. Answer these questions in complete sentences in Italian.

1. In quale negozio entra il signore?
2. Perchè entra lì?
3. Che deve usare il barbiere per tagliare i capelli?
4. Come devono essere i capelli sul lato sinistro? e sul lato destro?
5. Cosa desidera fare il signore sull'orecchio destro? e sul sinistro?
6. Come devono essere i capelli davanti?
7. Come risponde il barbiere alle richieste del signore?
8. Come controbatte il signore?

III. Domande personali

1. Dove vai a farti tagliare i capelli?
2. Con che frequenza ci vai?
3. Come si chiama la persona che ti taglia i capelli?
4. Quanto paghi per farti tagliare i capelli?
5. Ti è piaciuto come il tuo barbiere ti tagliò i capelli l'ultima volta?

25. Al telefono

Pippo si trova nel suo ufficio. Squilla il telefono. E' sua moglie che chiama. Lei desidera sapere in quale ristorante vanno a cenare quella sera. Pippo sembra essere pronto, però è un po' taccagno.

PIPPO: Pronto.

LA MOGLIE: Senti, Pippo. So che sei occupato, però perchè stasera non andiamo a cenare in quel ristorante giapponese che si trova presso l'uscita dell'autostrada?

PIPPO: No, cara, non cucinano bene lì e poi costa molto.

LA MOGLIE: Va bene. Andiamo, dunque, a quel ristorante francese vicino ai giardini pubblici.

PIPPO: Anche lì il cibo non è così buono e poi ci siamo stati già sabato scorso.

LA MOGLIE: E che facciamo allora? Dove andiamo a cenare? Oggi è venerdì.

PIPPO: Io sono convinto[1] che la nostra cucina è la migliore. Tu cucini molto bene.

LA MOGLIE: Sì, però tu mi promettesti di andare fuori a cenare.

PIPPO: E' vero, ma non c'è cucina più gustosa della tua. Inoltre costa meno.

LA MOGLIE: Ah, Pippo, non so che devo fare con te. Sei insopportabile.

---

1. **Io sono convinto** I'm convinced.

Riflessioni e ricerche

I. Match each segment in column A with a segment from column B to form a complete sentence.

A	B
1. Il ristorante giapponese si trova	a. vicino ai giardini pubblici.
2. Il cibo del ristorante giapponese è	b. ha cibo buono.
	c. molto bene.
3. Il ristorante francese si trova	d. scadente e costoso.
	e. presso l'uscita dell'autostrada.
4. Neanche il ristorante francese	f. cenare a casa.
	g. insopportabile.
5. Pippo preferisce	h. a casa.
6. Sua moglie cucina	
7. Costa meno mangiare	
8. Pippo è	

II. Answer these questions in complete sentences in Italian.

1. Con chi parla Pippo?
2. Di che parlano?
3. Quale ristorante preferisce la moglie?
4. Perchè Pippo dice che non debbono cenare lì?
5. Com'è il cibo del ristorante francese?
6. Secondo Pippo, qual è la migliore cucina?
7. Chi cucina molto bene?
8. Che promise Pippo a sua moglie?
9. Dove vanno a cenare?
10. Perchè Pippo preferisce cenare lì?

III. Domande personali

1. Sai cucinare?
2. Quali piatti ti piace preparare?
3. Chi inviti a mangiare quando cucini tu?
4. Chi lava i piatti quando cucini tu?
5. Chi ti aiuta in cucina?

26. Alla cassa di un piccolo albergo

E' molto presto di mattina. Un cliente dell'albergo scende dalla sua stanza e va alla cassa per parlare con l'albergatore.

L'ALBERGATORE:	Buon giorno, signore. Come ha passato il fine-settimana?
IL CLIENTE:	Molto bene; comunque parto alle dieci di stamattina.
L'ALBERGATORE:	Come L'è sembrato il nostro servizio?
IL CLIENTE:	Semplicemente perfetto.
L'ALBERGATORE:	Ha mangiato anche nel ristorante dell'albergo?

IL CLIENTE:	Sì, e il vitto era[1] anche molto buono.
L'ALBERGATORE:	Mi fa piacere sentirlo.
IL CLIENTE:	Ora me ne devo andare, però non ho una lira per pagare il conto.
L'ALBERGATORE:	Perchè non me l'ha detto[2] quando è arrivato?
IL CLIENTE:	Non volevo[3] rovinarmi il fine-settimana.

---

1. **era** was 2. **Perchè non me l'ha detto** Why didn't you tell me?
3. **Non volevo** I didn't want

Riflessioni e ricerche

I. Rearrange these statements to coincide with the sequence of the dialogue.

1. Il servizio gli è sembrato perfetto.
2. Ora se ne va, però non può pagare il conto.
3. Un cliente dell'albergo si trova presso la cassa.
4. Anche il ristorante gli è piaciuto.
5. E' molto presto di mattina.
6. Non l'ha detto prima per non rovinarsi il fine-settimana.
7. Ha passato un fine-settimana molto bene.

II. Answer these questions in complete sentences in Italian.

1. Dove ha passato il cliente il fine-settimana?
2. Dove si trova ora?
3. Con chi parla?
4. Che dice il cliente del servizio dell'albergo?
5. Come gli è sembrato il vitto del ristorante?
6. Che difficoltà ha?
7. Perchè non ha menzionato la sua difficoltà quando è arrivato all'albergo?

III. Domande personali

1. Ti piace passare un fine-settimana in un albergo?
2. In quale albergo?
3. Dove si trova?
4. Preferisci mangiare a casa tua o in un ristorante?
5. Che fai quando non hai abbastanza denaro per pagare un conto?

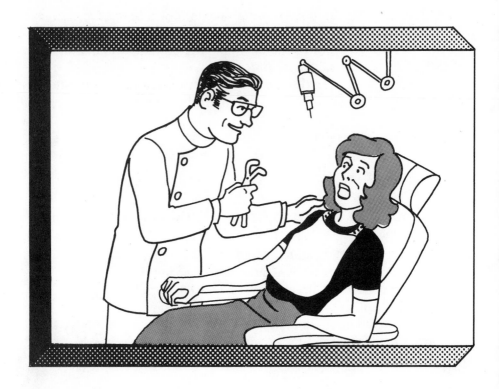

27. Dal dentista

Gemma ha un forte dolor di denti. Si trova nello studio di un dentista. Il dentista la cura.

GEMMA: Buon giorno, dottore.

IL DENTISTA: Buon giorno, Gemma. Come sta?

GEMMA: Non sto bene, dottore. Ho un forte dolor di denti fin da ieri sera.

IL DENTISTA: Per piacere, si accomodi ed apra la bocca. Ah, sì, vedo il problema. Devo estrarLe un molare. In un momento sarà guarita.

(Pochi minuti dopo, Gemma si alza dalla poltrona.)

IL DENTISTA: Come sta ora?

GEMMA: Ah, dottore, ora mi fa male tutta la bocca.

IL DENTISTA: Non so perchè lei ha un dolore terribile. Ho estratto il molare cariato.

GEMMA: Non mi pare affatto. Lei mi ha estratto un molare sano.

Riflessioni e ricerche

I. Complete each statement with the appropriate word from the list on the right.

1. Gemma tiene un dolor di _____ .
2. Si trova nello _____ di un dentista.
3. Non sta bene da _____ .
4. Il dentista la _____ .
5. Si siede sulla poltrona ed apre la _____ .
6. Il dentista vede il _____ .
7. Deve _____ il molare.
8. Ora le fa male _____ la bocca.
9. Secondo Gemma, il dentista le ha estratto il molare _____ .
10. Gemma tuttavia ha un _____ terribile.

a. bocca
b. tutta
c. denti
d. dolore
e. cura
f. estrarre
g. problema
h. studio
i. sano
j. ieri sera

II. Answer these questions in complete sentences in Italian.

1. Dove si trova Gemma?
2. Perchè sta lì?
3. Chi la cura?
4. Da quanto tempo soffre?
5. Che deve fare il dentista?
6. Dopo quanto tempo Gemma si alza dalla poltrona?
7. Che le fa male adesso?
8. Che le ha estratto il dentista?
9. Secondo Gemma, quale molare le ha estratto il dentista?
10. Com'è il dolore che sente Gemma?

III. Domande personali

1. Ti piace andare dal dentista? perchè?
2. Quante volte all'anno vai dal dentista?
3. E. bravo il tuo dentista?
4. Dove si trova lo studio del tuo dentista?

28. Alla Galleria degli Uffizi

*All'ingresso della Galleria degli Uffizi a
Firenze, una guida fa delle domande ad alcune
persone che entrano. Sembra fare un'inchiesta.*

LA GUIDA:	Scusate, signori. Desideriamo sapere perchè voi oggi fate una visita alla Galleria.
PRIMA PERSONA:	Mi piacciono le pitture di Leonardo, Michelangelo e Raffaello e qui c'è una discreta collezione.
SECONDA PERSONA:	Vengo da Nuova York ed i miei amici mi parlano molto di questa Galleria.
TERZA PERSONA:	Vengo spesso alla Galleria.

QUARTA PERSONA:	Desidero comprare delle cartoline nel negozio della Galleria.
LA GUIDA:	E Lei, signore, perchè è qui?
UN SIGNORE:	Per ripararmi dalla pioggia.

Riflessioni e ricerche

I. *Sì* or *no*. Indicate whether these statements are true or false. If the statement is false, make it true.

1. Alcune persone entrano nella Galleria degli Uffizi.
2. All'ingresso c'è una guida che chiede denaro.
3. La guida vuol sapere perchè quelle persone visitano la Galleria.
4. Alla prima persona piacciono le pitture francesi.
5. C'è una collezione di pitture italiane nella Galleria.
6. La seconda persona visita la Galleria perchè è un turista.
7. La terza persona lavora nel negozio della Galleria.
8. L'ultima persona si ripara dal mal tempo.

II. Answer these questions in complete sentences in Italian.

1. Dove si trova la guida?
2. Che fa lì?
3. Con chi parla?
4. Che desidera sapere?
5. Che piace alla prima persona?
6. Che collezione di pitture c'è in questa Galleria?
7. Da dove viene la seconda persona?
8. Perchè visita la Galleria questa persona?
9. Che desidera comprare la terza persona?
10. Perchè entra nella Galleria l'ultima persona?

III. Domande personali

1. Ti piace visitare un museo?
2. Quale museo preferisci?
3. Perchè?
4. Dove si trova questo museo?
5. Vai spesso a visitare un museo?
6. Dove vai quando esci dal museo?

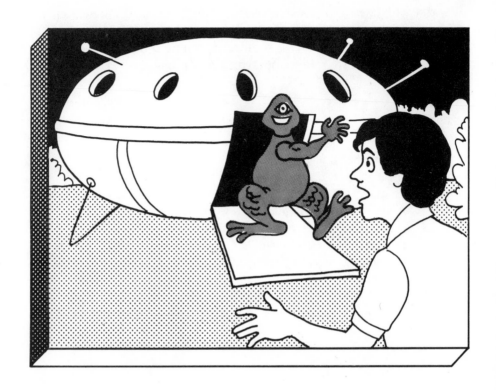

29. Al Caffè Metropolitano

Due amici sono appena usciti da un cinema. Ora si trovano in un caffè. Parlano dei loro sogni.

LORENZO: La notte scorsa ho fatto un sogno orribile.
ROCCO: Davvero? Raccontamelo.[1]
LORENZO: Cammino solo per il parco. All'improvviso vedo una cosa molto strana davanti a me.
ROCCO: E che è?
LORENZO: E' una navicella spaziale ed una creatura molto strana che esce da essa.
ROCCO: E com'è la creatura?
LORENZO: Di colore verde e molto brutta. Ha un occhio solo in

1. **Raccontamelo** Tell it to me.

mezzo alla fronte ed un braccio che viene fuori dal petto.
I suoi piedi sono come le zampe di un coccodrillo.

ROCCO: Ed allora?

LORENZO: Cammina verso di me. Io mi fermo perchè ho paura.

ROCCO: E ti ha parlato?

LORENZO: Sì, con una voce molto rauca mi ha detto:—Voglio conoscere il tuo capo.

ROCCO: E tu, cosa hai risposto?

LORENZO: Il mio capo non può far niente per te. Quello che serve a te è un dottore in chirurgia plastica!

Riflessioni e ricerche

I. Complete each statement with the appropriate word from those given below.

spaziale	parco	paura
verso	capo	coccodrillo
creatura	orribile	chirurgia
strana	voce	
occhio	piedi	

1. La notte scorsa Lorenzo ha fatto un sogno _____ .
2. Vede una cosa molto _____ mentre cammina per il _____ .
3. E' una navicella _____ .
4. La _____ è di colore verde e molto brutta.
5. Ha un solo _____ in mezzo alla _____ , un braccio, e i suoi _____ sono come le zampe di un _____ .
6. Questa figura cammina _____ Lorenzo.
7. Lorenzo ha molta _____ .
8. Vuole conoscere il _____ di Lorenzo.
9. Parla con una _____ rauca.
10. Secondo Lorenzo, questa figura ha bisogno di un dottore in _____ plastica.

II. Answer these questions in complete sentences in Italian.

1. Dove si trovano Lorenzo e Rocco?
2. Da dove sono appena usciti?
3. Com'è il sogno di Lorenzo?
4. Per dove cammina Lorenzo?
5. Che vede davanti a sè?

6. Com'è la creatura? Descrivila.
7. Come sono i suoi piedi?
8. Che prova Lorenzo a vederla?
9. Com'è la voce della creatura?
10. Chi vuole conoscere?
11. Di chi ha bisogno, secondo Lorenzo?

III. Domande personali

1. Vai spesso al cinema?
2. Che tipo di film ti piace vedere?
3. Con chi vai al cinema?
4. Dove vai quando esci dal cinema?
5. Come sono i tuoi sogni?
6. Sai descrivere un sogno interessante?

30. In una trattoria

*Una ragazza entra in una trattoria e si siede ad un
tavolo. Il cameriere prende l'ordine.*

LA RAGAZZA: Vorrei[1] una bistecca, delle patate fritte ed una Coca
Cola.

IL CAMERIERE: Desidera anche un po' di limone sulla bistecca,
signorina?

LA RAGAZZA: Sì, e mi porti anche dei sottaceti.

IL CAMERIERE: Benissimo. (*Qualche minuto dopo*) La signorina è
servita.

LA RAGAZZA: Grazie.

IL CAMERIERE: A Lei.

---

1. **Vorrei** I would like

(*Dopo un po' la ragazza chiama il cameriere e gli dice . . .*)

LA RAGAZZA: Che orrore! Mi porti un'altra bistecca, perchè questa è fredda e dura.

IL CAMERIERE: Perchè non me l'ha detto prima? Lei ha già mangiato quasi tutta la bistecca.

LA RAGAZZA: Perchè volevo[2] vedere se tutta la bistecca era[3] fredda, oppure soltanto una parte.

---

2. **Volevo** I wanted   3. **era** was

Riflessioni e ricerche

I. Match each segment in column A with a segment in column B to form a complete sentence.

A	B
1. Una ragazza entra in.	a. l'ordine.
2. Lei si siede.	b. con un po' di limone.
3. Il cameriere prende.	c. chiama il cameriere.
4. Lei ordina.	d. una trattoria.
5. Vuole la bistecca.	e. un'altra bistecca.
6. Più tardi, la ragazza.	f. ad un tavolo.
7. Lei chiede.	g. una bistecca, delle patate fritte ed una bibita.
8. La bistecca era.	h. quasi tutta la bistecca.
9. Lei mangiò.	i. tutta la bistecca era fredda.
10. Voleva vedere se.	j. fredda e dura.

II. Answer these questions in complete sentences in Italian.
   1. Dove entra la ragazza?
   2. Dove si siede?
   3. A chi dà l'ordine?
   4. Che ordina?
   5. E che più?
   6. Com'era la bistecca?
   7. Cosa vuole la ragazza?
   8. Quanto ha mangiato della bistecca?
   9. Perchè non lo ha detto prima al cameriere?

III. Domande personali

1. Cosa ordini quando vai ad un ristorante?
2. Quale bibita ti piace di più?
3. Se non ti piace qualcosa in un ristorante, la mandi indietro?
4. Ti piacerebbe lavorare come cameriere in un ristorante?
5. Come rispondi se qualcuno ti dice che non gli piace quello che tu hai preparato da mangiare?

Esercizi

1. Alla dogana dell'aeroporto internazionale Leonardo da Vinci—Roma

I. Studio del vocabolario

A. Cognates are words that are spelled similarly in Italian and in English and that have a similar root or element in both languages. *Relazione* is a cognate of *relation.* Generally, English nouns ending in *-tion* or *-ction* will end in *-zione* in Italian. Form the Italian equivalent of the following.

1. information	11. action
2. station	12. fraction
3. adoration	13. perfection
4. combination	14. selection
5. attention	15. production
6. celebration	16. election
7. definition	17. direction
8. solution	18. infection
9. situation	19. reaction
10. condition	20. contraction

B. Synonyms are words that have a similar meaning. Match these synonyms.

A	B
1. viaggio	a. splendido
2. ora	b. cortese
3. magnifico	c. gita
4. stupenda	d. conversare
5. gentile	e. adesso
6. parlare	f. meravigliosa

C. Antonyms are words that have an opposite meaning. Match these antonyms.

A	B
1. città	a. lì
2. simpatico	b. poi
3. qui	c. brutto
4. bello	d. paese
5. ora	e. antipatico

II. Verbi

A. Complete each statement with the appropriate form of *essere.*

1. La signora Rossi _____ di Genova.
2. Io _____ di Napoli.
3. Di dove _____ Loro?
4. Com' _____ la tua città?
5. Roberto ed io _____ all'aeroporto.
6. Roma _____ la capitale d'Italia.
7. Il doganiere _____ molto gentile.
8. Nuova York _____ una città meravigliosa.
9. Tu ed io _____ amici.
10. Il signor Bruni _____ un passeggero.

B. Complete each statement with the appropriate form of *avere.*

1. Rocco _____ un fratello a Roma.
2. Noi _____ una casa in campagna.
3. Essi _____ un vestito nuovo.
4. Io _____ una matita rossa.
5. La città _____ un parco molto bello.
6. Tu e Giovanni _____ un orologio d'oro.
7. Giacomo e Mario _____ molti amici.
8. _____ tu la grammatica italiana?
9. Luciano Pavarotti _____ una bella voce.
10. _____ voi i biglietti della lotteria?

C. Complete the crossword puzzle with the appropriate form of the verbs indicated.

Horizontal	Vertical
1. essere (noi)	1. viaggiare (lui)
2. dare (voi)	2. domandare (lei)
3. parlare (loro)	3. essere (tu)

III. Struttura della lingua

A. Unscramble the words to form a sentence in Italian.

1. signora/va/la/mercato/al
2. molte/doganiere/domanda/il/cose
3. bella/molto/Venezia/è
4. meraviglioso!/che/viaggio
5. Genova/è/signorina/di/la
6. signor/dove/Bruni?/si/il/trova
7. molto/sei/gentile/tu

B. Write the definite article (il, lo, la, l', i, gli, le) before each of the following nouns.

1. giorno	11. scaffale	21. spaghi
2. spettacolo	12. case	22. stadio
3. lavagna	13. penna	23. gesso
4. orologi	14. sbaglio	24. operaio
5. nonni	15. dollari	25. carta
6. sorelle	16. matite	26. giardini
7. erba	17. esercizio	27. psicologo
8. zii	18. mela	28. spaghetti
9. sarto	19. viaggio	29. sedie
10. giornali	20. scarpe	30. dizionario

C. Write the indefinite article (un, uno, una, un') before each of the following nouns.

1. quaderno	11. specchio	21. spazio
2. cartella	12. albero	22. amico
3. studente	13. bandiera	23. famiglia
4. aria	14. cugino	24. insalata
5. porta	15. zucchero	25. zaino
6. zero	16. entrata	26. scrivania
7. libro	17. cestino	27. maestro
8. esercizio	18. stanza	28. spago
9. finestra	19. specialista	29. aula
10. bambino	20. alunna	30. porta

D. Complete the following passage by inserting the necessary words from those given below.

doganiere   d'   si trova

città   è   di   gentile

Carlo è di Roma. Roma _____1_____ la
capitale _____2_____ Italia ed è
una _____3_____ incantevole. Ora
Carlo _____4_____ nell'aeroporto _____5_____ Nuova
York. Parla col _____6_____ perchè deve presentargli
la dichiarazione. Il doganiere è _____7_____ ; non è
scortese.

2. In cucina

Studio del vocabolario

A. Match these synonyms.

A	B
1. parlare	a. deliziosa
2. ortaggi	b. nulla
3. mamma	c. conversare
4. succedere	d. verdura
5. niente	e. accadere
6. saporita	f. madre

B. Match these antonyms.

A	B
1. saporita	a. ridere
2. mamma	b. stamani
3. piangere	c. papà
4. stasera	d. male
5. bene	e. disgustevole

II. Verbi

Complete the sentences by supplying the correct form of the present tense of the verb in parentheses.

1. La mamma _____ una frittata con le cipolle. (preparare)
2. Antonio e la mamma _____ alle sei e mezzo. (mangiare)
3. Io ed i miei amici _____ della partita di calcio. (parlare)
4. Voi _____ la lezione ogni giorno. (studiare)
5. La ragazza _____ molto bene. (ballare)
6. Tu _____ il maestro. (salutare)

III. Struttura della lingua

A. Che ora è? Indicate the time shown.

1.
```
3:00
```

6.
```
10:15
```

2.
```
5:55
```

7.
```
1:40
```

3.
```
12:20
```

8.
```
8:07
```

4.
```
1:00
```

9.
```
11:30
```

5.
```
9:30
```

10.
```
5:05
```

B. A che ora? Answer these questions using the time indicated in parentheses.

1. A che ora cenano (Loro)?   (6:15)
2. A che ora (voi) guardate la televisione?   (7:30)
3. A che ora (loro) visitano l'aeroporto?   (12:20)
4. A che ora (tu) ritorni dalla città?   (5:45)
5. A che ora (Lei) parla col professore?   (1:10)

C. **Form** new sentences based on the model.

E' saporita la minestra?—Is the soup delicious?

la marmellata?

la torta?

la pizza?

la lasagna?

la cioccolata?

D. **Read** this paragraph and then select the appropriate word from those given to complete each statement.

ora   figlia   frittata

cucina   cipolle   tra

piange   è

La cena della famiglia Rossi _____1_____ quasi pronta.
La mamma sta in _____2_____ . Prepara
una _____3_____ con le _____4_____ .
La _____5_____ , che si chiama Anna Maria, parla con
lei. Desidera sapere a che _____6_____ si cena. Sua
madre _____7_____ perchè le cipolle sono molto forti.
La mamma dice che si cena _____8_____ mezz'ora.

3. In palestra

I. Studio del vocabolario

A. Diminutives. The suffix *-ino* or *-etto* is used to indicate smallness of size or affection in Italian.

Esempio: Giovanni—Giovannino; Rosa—Rosina; casa—casetta

Form the diminutive of these words.

1. Carlo
2. libro
3. vecchio

4. scarpa
5. cavallo
6. borsa

B. Opposti. Match the following words or expressions that have opposite meanings.

A	B
1. grasso	a. torto
2. tutti	b. nudo
3. ragione	c. magro
4. vestito	d. falso
5. molti	e. nessuno
6. vero	f. male
7. bene	g. pochi

II. Verbi

A. Complete the sentences by supplying the correct form of the present tense of the verb in parentheses.

1. Giovanni e Mario _____ il giornale della sera. (leggere)
2. Tu _____ una lettera allo zio. (scrivere)
3. Voi _____ i libri nella cartella. (mettere)
4. Chi _____ la frutta e gli ortaggi? (vendere)
5. Io spesso _____ le chiavi di casa. (perdere)
6. Noi _____ i dolci con i nostri amici. (dividere)

B. Complete the sentences using the appropriate form of the verb given in the model with the subjects indicated.

    1. Mario deve perdere dieci libbre.

        Tu _____ .

        Le signore _____ .

        Tonino ed io _____ .

        Chi _____ ?

    2. Gli amici fanno molti esercizi.

        Noi _____ .

        Angelo _____ .

        Tu _____ .

        Io _____ .

        Chi _____ ?

    3. Mi piace il calcio.

        _____ i fiori.

        _____ preparare la cena.

        _____ giocare a pallacanestro.

        _____ andare a scuola.

        _____ gli spaghetti.

C. In each of the following statements, supply the appropriate form of the correct verb, *fare* or *piacere,* as required by the meaning of the statement.

    1. Io _____ molti esercizi.

    2. Ti _____ il calcio?

    3. Egli _____ un regalo alla mamma.

    4. Le cipolle mi _____ piangere.

    5. Mi _____ la cena che prepara la mamma.

III. Struttura della lingua

A. Change these singular nouns to the plural.

Esempio: la scarpa—le scarpe

1. il libro
2. l'albero
3. la vacanza
4. lo stivale
5. il cavallo
6. l'esame
7. lo zio
8. il pesce
9. la città
10. il fuoco
11. il figlio
12. l'albergo
13. l'amico
14. lo specchio
15. il medico

B. Change these plural nouns to the singular.

1. gli animali
2. le lingue
3. i fiumi
4. gli scultori
5. le figlie
6. le regole
7. gli sbagli
8. i leoni
9. i padri
10. gli uccelli
11. le stazioni
12. i sindaci
13. gli esercizi
14. le automobili
15. i laghi

C. Unscramble the sentences.

1. calcio/mi/il/piace
2. da/ritorna/papà/un/Nuova York/viaggio/a
3. sei/cenano/e/tutti/alle/mezzo
4. in/la/cucina/signora/prepara/cena/la
5. a/deve/Mario/casa/alle/tornare/sei
6. Gino/molti/fa/palestra/in/esercizi

4. In banca

I. Studio del vocabolario

A. Match the following antonymns.

A	B
1. signore	a. domani
2. oggi	b. bianco
3. domandare	c. senza
4. nessuno	d. signora
5. nero	e. tutti
6. con	f. rispondere

B. Complete each statement with words based on the *dialogo.*

1. Il signore ha un _____ molto importante oggi.
2. E' alle _____ e un quarto.
3. _____ lo aiuta a vestirsi.
4. Porta un calzino rosso e uno _____ .
5. _____ giorno, signor Zullo.
6. Il direttore sta nel suo _____ .
7. I due signori sono _____ .

II. Verbi

A. Complete each statement with the appropriate reflexive pronoun.

Io _____ vesto da solo. Io *mi* vesto da solo.

1. Il signor _____ lava da solo.
2. Tu _____ spazzoli i denti.
3. Enzo _____ alza dal letto.
4. Chi _____ fa la doccia ora?
5. Gli amici _____ coricano presto.
6. Io _____ pettino tutte le mattine.
7. Voi _____ svegliate alle sette della mattina.

B. Supply the appropriate form of the verbs given in parentheses.

1. Io _____ ogni giorno. (lavarsi)
2. Essi _____ rapidamente. (vestirsi)
3. La ragazza _____ i capelli. (asciugarsi)
4. Noi _____ presto. (alzarsi)

5. Chi _____ i denti? (spazzolarsi)
6. Il direttore ed io _____ sul divano. (sedersi)
7. Tu _____ Enzo. (chiamarsi)
8. Voi _____ sempre bene. (comportarsi)

III. Struttura della lingua

A. Complete each sentence with the appropriate preposition:

di	a	da	in
con	per	su	tra

1. La signora entra _____ casa.
2. Il libro _____ Tommaso è nuovo.
3. Tu passeggi _____ Gino.
4. Il turista passa _____ Roma.
5. Io parto _____ Torino ed arrivo _____ Milano.
6. Voi studiate _____ imparare.
7. L'aeroplano vola _____ Genova.
8. Il direttore è _____ ufficio.
9. _____ le due case c'è un parco.
10. Il signor Esposito è _____ Napoli.

B. Select the possessive adjective that correctly completes each statement.

1. Giorgio parla con (il suo, la sua, i suoi) vicino.
2. Dove sono (il tuo, i tuoi, la tua) amici?
3. Questa è (le nostre, il nostro, la nostra) scuola.
4. Ragazzi, rispettate (la vostra, il vostro, i vostri) genitori.
5. Il maestro corregge (le mie, il mio, la mia) compito.

5. In una rosticceria

I. Studio del vocabolario

A. Indicate the word that does not fit in the group.

1. cipolla	pomodoro	hamburger	cetriolo
2. rosticceria	ristorante	trattoria	cameriere
3. caffè	giardino	alberi	fiori
4. passeggero	dichiarazione	turista	viaggiatore
5. latte	vino	sigaretta	liquore

B. Some English nouns that end in -*ty* end in -*tà* in Italian. These nouns are feminine. Write the Italian cognate of these English nouns and show the appropriate definite article.

Esempio: opportunity—l'opportunità

1. variety
2. identity
3. society
4. capacity
5. poverty
6. velocity
7. liberty

II. Verbi

Complete the sentences using the appropriate form of the verb given in the model with the subject indicated.

1. Che preferisce Lei per spuntino?

_____ loro _____?

_____ noi _____?

_____ tu _____?

_____ la mia amica _____?

_____ voi _____?

81

2. L' alunno offre una rosa alla maestra.

Io _____ .

Chi _____ ?

Tu _____ .

Enzo e Gino _____ .

Barbara ed io _____ .

Tu e Lia _____ .

III. Struttura della lingua

A. Write an appropriate question for each statement.

1. Desidero prendere un hamburger.
2. Il signore deve fare un viaggio.
3. Mi alzo alle sei ogni mattina.
4. La mamma sta in cucina.
5. Siamo di Napoli.
6. Loro parlano con il doganiere.
7. Mangiamo più tardi.
8. Cammino svelto perchè ho fretta.

B. Complete each statement with the appropriate form.

di	del	dello	della
dei	degli	delle	dell'

1. Enzo è il direttore _____ banca.
2. E' l'ora _____ partire.
3. Voi ascoltate il risultato _____ partite.
4. I quaderni _____ studente sono puliti.
5. Azzurro è il colore _____ calzini.
6. La penna _____ maestro è rossa.
7. Queste sono le dichiarazioni _____ passeggeri.
8. Il prezzo _____ zoccoli è caro.
9. Il 12 ottobre noi celebriamo la scoperta _____ America.
10. Il giornale _____ alunni è interessante.

82

6. In un ristorante

I. Studio del vocabolario

A. The words listed below are related to the theme of eating in a restaurant. After you have checked the meaning of these words, match them to the drawings.

a. il menù
b. il bicchiere
c. il piatto
d. la mancia
e. il tovagliolo
f. il conto
g. la tavola
h. la sedia
i. la tovaglia
j. la forchetta
k. il coltello
l. il cucchiaio
m. il cucchiaino
n. la tazza
o. il cameriere

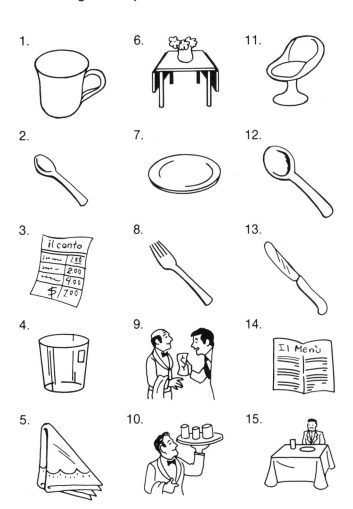

1.

2.

3. il conto
	1.00
	2.00
	4.00
$/7.00

4.

5.

6.

7.

8.

9.

10.

11.

12.

13.

14. Il Menù

15.

83

B. Unscramble these words and form a complete sentence with them.

1. n/o/o/s
2. e/l
3. i/r/a/s/e/t/o/p
4. t/f/t/e/c/u/e/i/n/c

La frase completa è

_____

C. Select the word that does not fit in the group.

1. tavola	coltello	forchetta	cucchiaio
2. sedia	tavola	cameriere	tovaglia
3. mangiare	bere	masticare	pagare
4. caffè	acqua	tè	tazza
5. mancia	denaro	piatto	conto

II. Verbi

Complete the sentences using the appropriate form of the verb given in the model with the subjects indicated.

1. Il signore deve ordinare una frittata.

   Tu _____

   Mia madre ed io _____ .

   Chi _____ ?

   I ragazzi _____ .

   Voi _____ .

   Io _____ .

2. Tu bevi un'aranciata.

   Io _____ .

   Essi _____ .

   Noi _____ .

   Il cameriere _____ .

   Tu e Giovanni _____ .

3. La signora vuole andare al cinema.

   Chi _____ .

   Io _____ .

   Tu e Mario _____ .

   Noi _____ .

   Gino e Carlo _____ .

   Tu _____ .

III. Struttura della lingua

A. **Complete** each statement with the appropriate preposition.

1. Spaghetti all'amatriciana è il
   piatto _____ giorno.
2. Desidero una bistecca _____
   contorno _____ patate fritte.
3. Lucia ed Alberto si trovano _____ un
   ristorante.
4. E' il piatto _____ signorina.

B. **Form** sentences using the words in the order given. You may have to add other necessary words.

Esempio: Alberto/andare/Lucia/ ristorante.
           Alberto va con Lucia al ristorante.

1. Cameriere/salutare/clienti.
2. Quale/essere/ piatto/giorno?
3. Io/desiderare/piatto/spaghetti.
4. Ora/sapere/spaghetti all'amatriciana/
   contenere/pecorino/guanciale/ cipolla/ pomodoro.

C. **Complete** these statements with the appropriate form.

in	nel	nello	nella
nei	negli	nelle	nell'

1. Ci sono molti spettatori _____ stadio.
2. I genitori di Enzo abitano _____ campagna.
3. Tu e Pierino mettete le parole _____ spazi
   vuoti.
4. I bambini giocano _____ giardini pubblici.
5. Gli uccelli volano _____ aria.
6. Gli operai lavorano _____ fabbrica di
   automobili.
7. Noi vediamo molte nuvole _____ cielo.
8. Tu entri _____ ufficio del direttore.
9. Chi porta i libri _____ biblioteche della città?
10. Nuova York è _____ Stati Uniti.

7. Nella stanza da letto di Peppino

1. Studio del vocabolario

The absolute superlative, in which the subject is not compared with anything else, is formed by dropping the final vowel of the adjective and attaching the suffix *-issimo* (*a,i,e*).

Esempio: alto - alt - altissimo
Adjectives ending in *-ci, -chi,* or *-ghi* in the masculine plural retain those endings before adding the suffix *-ssimo* (*a,i,e*).

Esempio: simpatici - simpaticissimo
pochi - pochissimo
lunghi - lunghissimo

Form the superlative of these adjectives using *-issimo.*

1. famoso
2. stanchi
3. difficile
4. corto
5. popolare
6. generoso
7. bianchi
8. larghi
9. ricchi
10. veloce

II. Verbi

Complete the sentences using the appropriate form of the verb given in the model with the subjects indicated.

1. Il ragazzo non fa niente.
   Io _____ .
   Le ragazze _____ .
   Tu _____ .
   Antonio ed io _____ .
2. Tu dici la verità.
   Chi _____ ?
   Esse _____ .
   Io _____ .
   La maestra ed io _____ .
   Tu e Francesco _____ .

3. Noi dobbiamo fare i compiti.

Io _____ .

Gli studenti _____ .

Tu _____ .

L'alunna _____ .

Voi _____ .

4. Io so parlare italiano molto bene.

I bambini _____ .

Il professore _____ .

Tu _____ .

Lui ed io _____ .

III. Struttura della lingua

A. **Unscramble** these words to form sentences. You may have to add other necessary words or make some changes.

1. parlare/moltissimo/io/classe/in
2. egli/parlare/domani/dovere/professore/il/con
3. studiare/alunni/corso/gli/del/molto/italiano/d'
4. tenere/io/lunedì/compiti/per
5. volere/Peppino/poco/studiare

B. **Complete** this dialogue by responding to the statement or question made by *la maestra*.

Scena: La maestra d'italiano sta parlando con te.

1. La maestra dice: Perchè sei contento oggi?
   Tu rispondi:_____

2. La maestra dice: Dov'è il compito per oggi?
   Tu rispondi:_____

3. La maestra dice: Non è finito. Perchè?
   Tu rispondi:_____

4. La maestra dice: Informerò i tuoi genitori.
   Tu rispondi:_____

8. Per la strada

A. **Match** the words in column A with those in column B. Both synonyms and antonyms are included.

A	B
1. esce	*a. qui
*2. con te	b. salire
3. bene	c. scappare
4. lì	d. entra
*5. lungo	*e. con me
6. scendere	f. corto
*7. correre	*g. male

B. **Create** an original sentence for each of the words that are starred in exercise A.

C. **Match** the words in column A with the group of verbs in column B with which each word is associated.

A	B
1. chiave	a. viaggiare, visitare, conoscere
2. mamma	
3. strada	b. aprire, chiudere
4. viaggio	c. sudare, pesarsi, esercitarsi
5. rosticceria	
6. palestra	d. mangiare, bere, pagare, ordinare
	e. camminare, correre, guidare
	f. aiutare, amare, curare

II. Verbi

A. **Complete** each sentence with the appropriate form of the verbs following the model in each pattern.

1. Io *devo sedermi* a fianco a papà.
   Lei _____ _____ a
   fianco _____ mamma.

Tu _____ _____ a
fianco _____ professore.
Loro _____ _____ a
fianco _____ ragazzi.
Lui ed io _____ _____ a
fianco _____ direttrice.
Voi _____ _____ a fianco _____ me.

2. Il ragazzo *vuole comportarsi* bene.
Io _____ _____ bene.
Chi _____ _____ bene?
Tu _____ _____ bene.
I signori _____ _____ bene.
Claudio ed io _____ _____ bene.
Tu e il tuo amico _____ _____ bene.

B. Complete each statement with the appropriate form of the verbs *uscire, andare, salire.*

1. Il papà _____ di casa alle sette.
2. I nostri vicini _____ in chiesa ogni domenica.
3. Io _____ sull'albero per cogliere i frutti.
4. Noi _____ dalla scuola alle tre.
5. Carlo _____ in Italia ogni anno.
6. I prezzi al consumo _____ sempre più.
7. I bambini _____ nel giardino a giocare.
8. Tu _____ dalla palestra alle quattro.
9. Gli alpinisti _____ sulle montagne.
10. Dove _____ quelle ragazze?

III. Struttura della lingua

A. Complete each statement using *con* and a pronoun based on the sentences given.

Esempio: Io vado con *Maria.* Io vado con *lei.*

1. Angelo va con Luigi.
Angelo va _____ .
2. Tu vai alla rosticceria con Alberto e Lucia.
Tu vai _____ .

3. Anna Maria va con le sue amiche.
   Anna Maria va ＿＿＿＿＿＿ .
4. Gli alunni vanno col direttore.
   Gli alunni vanno ＿＿＿＿＿＿ .
5. Chi va con la maestra?
   Chi va ＿＿＿＿＿＿ ?

B. Complete these statements with the appropriate form.

a	al	allo	alla
ai	agli	alle	all'

1. Il cameriere serve ＿＿＿＿＿＿ clienti un buon piatto
   di spaghetti.
2. La direttrice parla ＿＿＿＿＿＿ studenti.
3. Noi andiamo ＿＿＿＿＿＿ spettacolo del sabato
   sera.
4. Mario scrive una lettera ＿＿＿＿＿＿ nonna.
5. Alberto dà la mancia ＿＿＿＿＿＿ cameriere.
6. Essi vanno ＿＿＿＿＿＿ aeroporto.
7. La mamma dà un bacio ＿＿＿＿＿＿ figlie.
8. Voi date un regalo ＿＿＿＿＿＿ Domenico.
9. Il treno arriva ＿＿＿＿＿＿ stazione.
10. Gli operai tornano ＿＿＿＿＿＿ lavoro.

C. Complete these statements with the appropriate form.

da	dal	dallo	dalla
dai	dagli	dalle	dall'

1. ＿＿＿＿＿＿ finestra vedo il giardino.
2. (Io) ricevo un regalo ＿＿＿＿＿＿ zio.
3. Noi apprendiamo la notizia ＿＿＿＿＿＿ studenti.
4. Il fiume scorre ＿＿＿＿＿＿ montagna alla pianura.
5. Voi comprate il pane ＿＿＿＿＿＿ panettiere.
6. Il turista arriva ＿＿＿＿＿＿ Australia.
7. Sergio e Luigi sono ＿＿＿＿＿＿ dottore.
8. Tu mangi ＿＿＿＿＿＿ nonna.
9. L'Italia è bella ＿＿＿＿＿＿ Alpi al mare.
10. L'aereo parte ＿＿＿＿＿＿ Roma alle undici meno
    un quarto.

9. Nell'aula di scienze.

I. Studio del vocabolario

A. Using the drawing, identify the parts of the body in Italian from the list given.

la gamba
il collo
i capelli
l'occhio
la testa (il capo)
il petto
lo stomaco
il naso
l'orecchio
la bocca
le dita del piede
la mano (le mani)
il piede
il dito (le dita)
la faccia
il braccio (le braccia)

WORD SEARCH

B. Find all the words in the word list hidden in the diagram below. The words read forward, backward, up, down, or diagonally, but they are always in a straight line and they never skip letters. Words may overlap. You will not, however, use all the letters in the diagram.

```
G O S T V U B S P O R E C C H I O T R I
M A D B O M O T M A V U G V U P S I M N
O P M T P O R E E N L P H O C C H I O M
S U E B T P S D O S G L I P A O U V T E
C N S H A R L E N P T R A S B P T A S D
O M T I E T B I C R H A J P C I I D O C
L O B O C C A P A S I N T O S A B E F A
L S U G F S D L P U E P M B S N M C D T
O P P F G M F E E A C S T O M A C O T E
A O E D H O N D L U A O A N O T V E S T
C V C T J B A A L G B C B U T D E N T E
D S A C T C S T I N C D I T A B C H I M
M T E B L O O I G I L E C O M A F G N P
F A C C I A F D T L M F D P V M A N O V
```

gamba	capelli	piede
collo	lingua	stomaco
petto	testa	dente
faccia	spalla	mano
bocca	orecchio	dita del piede
naso	occhio	dita

C. Complete each statement with the appropriate part of the body.

1. Per correre usiamo _____ .
2. Per vedere usiamo _____ .
3. Per parlare usiamo _____ .
4. Per toccare usiamo _____ .
5. Per respirare usiamo _____ .
6. Per ascoltare usiamo _____ .

II. Verbi

A. Complete each statement with the appropriate form of *andare.*

1. Il signore _____ al cinema stasera.
2. Dove _____ tu, Paolo?
3. Noi _____ sempre insieme.
4. Maria e Giovanna _____ alla festa da ballo.
5. Io _____ al parco con mia sorella.
6. Gli alunni _____ a scuola per imparare.
7. Tu e Caterina _____ al mercato.

B. Complete each statement with the appropriate form of *sentirsi.*

1. Come _____ tu?
2. Mio zio _____ bene oggi.
3. Tu _____ smarrito in questa città.
4. Oggi io _____ molto contento.
5. Noi _____ felici per il premio ricevuto.
6. Voi _____ molto male.

III. Struttura della lingua

Complete each sentence with the appropriate idiom formed with the verb *avere.*

1. Un topo entra nella stanza; Giulio _____ .
2. Noi andiamo ad un ristorante perchè _____ .
3. Io rispondo bene alla domanda ed il professore dice che io _____ .
4. Tu dormi dodici ore perchè (tu) _____ .
5. Noi prendiamo un rinfresco quando _____ .
6. Mio padre prende due aspirine quando egli _____ .
7. Oggi è il compleanno di Pietro ed io gli domando: Quanti _____ ?
8. Io porto una maglia quando _____ .
9. Giorgio corre verso l'autobus perchè _____ .
10. Lo studente _____ di un foglio di carta per scrivere.

10. Alla fontana di Trevi

I. Studio del vocabolario

A. Many words that end in *-ry* in English can be formed in Italian by changing the *-ry* to *-rio*. For example: missionary—missionario.

Change these words from English to Italian.

1. diary	6. secondary	11. centenary
2. primary	7. documentary	12. conservatory
3. migratory	8. sanitary	13. fiduciary
4. ordinary	9. laboratory	14. oratory
5. salary	10. territory	15. referendary

B. Match these synonyms.

A	B
1. camera	a. vecchia
2. antica	b. regalo
3. famoso	c. via
4. dono	d. nulla
5. strada	e. illustre
6. niente	f. stanza

C. Match these antonyms.

A	B
1. antico	a. sconosciuto
2. buono	b. freddo
3. famoso	c. moderno
4. caldo	d. cattivo
5. dentro	e. dietro
6. davanti	f. ricordare
7. dimenticare	g. fuori

II. Verbi

Answer these questions in complete sentences in Italian. Use the verb in each question to form your answer.

1. Pagate con la carta di credito?
2. Hai molto denaro?
3. Credi tu nella cattiva fortuna?
4. Ti piace fare un viaggio a Roma?
5. A che ora arrivi a scuola?
6. Dici sempre la verità?
7. Cosa fai in classe?

III. Struttura della lingua

A. Complete these statements with the correct form of the adjective indicated.

1. E' una fontana _____ . (antico)
2. Lei legge nella guida _____ . (turistico)
3. Nicola desidera avere _____ fortuna. (buono)
4. Le fontane di Roma sono molto _____ . (bello)
5. Le piazze di Roma sono _____ . (largo)
6. I turisti sono _____ . (felice)
7. Questi racconti sono _____ . (interessante)

B. Select the adjective from the column at the right that is needed to complete each statement.

1. Roma è una città ____
2. Compriamo una guida ____
3. Gli autobus di Roma sono molto ____
4. I turisti fanno delle ____ escursioni.
5. Gli sposini vogliono ____ fortuna.
6. Non ho ____ moneta in tasca.

a. belle
b. comodi
c. stupenda
d. turistica
e. alcuna
f. buona

95

C. Read this paragraph and then select the appropriate word from those given below to complete each statement.

Una visita della _____1_____ di Roma
richiede _____2_____ giorni perchè le mete da visitare
sono _____3_____ . E' troppo _____4_____ dare un
elenco _____5_____ dei luoghi _____6_____ della
città. Ricordiamo almeno il Campidoglio, il Foro Romano,
il Colosseo, Piazza Navona, Palazzo Venezia, il
Gianicolo, Trinità dei Monti, la Fontana di Trevi, i Musei
Vaticani e la _____7_____ via Vittorio Veneto. Un
interesse _____8_____ merita la _____9_____ piazza
S. Pietro, _____10_____ dal colonnato del Bernini.

completo   città

monumentale   lungo   parecchi

interessanti   molte

cinta   famosa   particolare

11. In casa

I. Studio del vocabolario

Complete these sentences using the following words.

temperatura   dormire   tardi
domani   devono   medico
stomaco   lezione

1. Per apprendere gli alunni _____ studiare.
2. Il professore spiega la _____ agli alunni.
3. Se oggi è giovedì, _____ è venerdì.
4. Oggi fa caldo; la _____ è di 94 gradi.
5. Quando mangiamo, il cibo passa dalla bocca allo _____ .
6. Quando ho sonno mi piace _____ .
7. Il professionista che cura gli ammalati è il _____ .
8. Sono molto puntuale; non pi piace arrivare _____ ad un appuntamento.

II. Verbi

A. Complete these sentences following the example.

Esempio: a me *fa male* lo stomaco.

1. A Salvatore _____ _____ i denti.
2. A loro _____ _____ la bocca.
3. A te _____ _____ i piedi.
4. A noi _____ _____ la gola.
5. A me _____ _____ la testa.
6. A voi _____ _____ le dita.

B. Unscramble these sentences. Make whatever changes are needed.

1. lo/studente/ esame/avere /domani
2. io/studiare/molto/giorni/tutti/i
3. il/povero/ragazzo/non/bene/sentirsi
4. perchè/non/poter/egli/andare/scuola/a/?
5. la mamma/chiamare/il/volere/medico
6. alla ragazza/ far male/molto/stomaco/lo

III. Struttura della lingua

A. Complete these statements with the appropriate word. You may consult the story if you need help.

1. Gli _____ lo stomaco.
2. Arturo _____ che si sente meglio.
3. Sua madre va a chiamare _____ medico.
4. Arturo studia _____ un esame di matematica.
5. Ora non ha più _____ di stomaco.
6. Vuole dormire un _____ poco.
7. Il giorno seguente dice che non _____ sente bene.
8. Non può _____ a scuola.

B. Reorder the sentences in exercise A to form a summary of the story.

C. Adjectives ending in *-co* and *-go*. Write the correct form of the adjective indicated in parentheses.

1. (sporco) Il ragazzo ha i piedi _____ .
2. (magnifico) Il turista ammira i _____ monumenti di Firenze.
3. (simpatico) Come sono _____ le amiche di Claudia!
4. (poco) Questo quaderno ha _____ fogli.
5. (lungo) D'inverno le notti sono _____ .
6. (pubblico) Noi passeggiamo per i giardini _____ di Napoli.
7. (antico) Voi studiate la storia dei tempi _____ .
8. (fantastico) Non sono _____ i racconti della nonna?
9. (largo) Le strade di Nuova York sono _____ .
10. (artistico) A Roma ci sono molte chiese _____ .

98

12. Sulla porta di casa

I. Studio del vocabolario

A. Match these synonyms.

A	B
1. medico	a. posto
2. luogo	b. dopo
3. buttare	c. dottore
4. poi	d. sbaglio
5. errore	e. lanciare

B. Match these antonyms.

A	B
1. perdere	a. entrare
2. sempre	b. grasso
3. magro	c. trovare
4. allegro	d. lontano
5. uscire	e. mai
6. vicino	f. triste
7. debole	g. forte

C. Many words that end in -ent in English form the Italian by adding -ente. Give the Italian equivalent of the following words. Remember to pronounce the final -e.

Esempio: president—presidente

1. imminent	7. present
2. intelligent	8. urgent
3. diligent	9. evident
4. orient	10. agent
5. incident	11. detergent
6. continent	12. negligent

II. Verbi

A. Complete each sentence with the appropriate form of the verb given in the model.

     1. Il signore viene col treno.
         Tu _____ .
         Io _____ .
         Lei ed io _____ .
         Gli amici _____ .
         Voi _____ .
     2. La mamma esce di casa.
         Io _____ .
         Roberto e Mario _____ .
         Noi _____ .
         Voi _____ .
         Tu _____ .

B. For each sentence make up a question using *c'è*. You will have to add or change words.

Esempio: La banca è presso l'ospedale. C'è una banca presso l'ospedale?

     1. L'aeroporto è vicino alla città.
     2. La scuola è tra il parco e lo stadio.
     3. La biblioteca è al secondo piano.
     4. Il ristorante è qui vicino.
     5. Il maestro è in quest'aula.

III. Struttura della lingua

A. Create a phrase using the words given to express possession using *di* or *di* plus the article before the possessor.

Esempi: libro/Giorgio   il libro di Giorgio
             penna/maestro   la penna del masestro

     1. posto/Mario   6. vestito/sposa
     2. chiave/porta   7. bicicletta/ragazzo
     3. figlio/direttore   8. cartella/studente
     4. giacca/Mirella   9. colazione/operaio
     5. fontana/fortuna   10. berretto/Luigi

B. Read this paragraph and then select the appropriate word from those given below to complete each statement.

Sono le sette e mezzo della mattina. Roberto bussa alla _____1_____ della casa di Mariella. Egli e Mariella _____2_____ a scuola sempre _____3_____. Oggi Mariella non va a scuola perchè non si sente _____4_____ . Le fanno male _____5_____ e, più tardi, se ancora non si sente bene, va a _____6_____ un medico. Roberto _____7_____ che Mariella ha molta _____8_____ perchè oggi non deve andare a scuola. A Roberto non piacciono _____9_____ e cerca sempre una scusa per _____10_____ a casa.

insieme	fortuna	consultare	
porta	rimanere	le gambe	
le lezioni	crede	bene	vanno

13. Ad una festa

A. **Match** these antonyms.

A	B
1. tardi	a. sorella
2. tutti	b. andarsene
3. amico	c. qui
4. fratello	d. nessuno
5. lì	e. nemico
6. rimanere	f. presto

B. **Complete** these sentences with a word from column B in exercise A.

1. Voi arrivate sempre _____ a scuola.
2. Tu non vai lì; vieni _____ .
3. Essi non cercano _____ in questo momento.
4. Anna Maria è una buona _____ .
5. Il mio amico non deve _____ dalla festa.
6. Il cane è _____ del gatto.

C. **Complete** the following statements.

1. La figlia dei tuoi genitori è tua _____ .
2. I tuoi zii ed i tuoi cugini sono i tuoi _____ .
3. Tua sorella è la _____ dei tuoi genitori.
4. Il padre di tuo padre è tuo _____ .
5. I tuoi parenti fanno parte della tua _____ .
6. Il figlio di tuo zio è tuo _____ .
7. La sorella di tua madre è tua _____ .
8. La madre di tua madre è tua _____ .

II. Verbi

A. Complete each statement with the appropriate verb.

1. Roberto _____ il fratello di Teresa.
2. Il ragazzo _____ a tutti.
3. Dora _____ a parlare con suo padre.
4. Cosa _____ , signor direttore?
5. A me _____ la festa.
6. Nessuno _____ presto a casa.
7. Chi _____ in questo momento?
8. Pino _____ lì con la sua amica.

a. torna
b. desidera
c. esce
d. dà fastidio
e. è
f. piace
g. va
h. sta

B. Complete these statements with the appropriate form of the verb given in the model.

I suoi amici si divertono alla festa.

Io _____ in classe.
Giovanni ed io _____ nella discoteca.
Tu _____ sulla spiaggia.
Chi _____ nei giardini pubblici?
Tu e Maria _____ a giocare col gatto.

III. Struttura della lingua

A. Match the infinitive and its familiar singular command.

A	B
1. venire	a. di'
2. fare	b. vieni
3. tenere	c. esci
4. uscire	d. fa'
5. dire	e. va'
6. porre	f. tieni
7. essere	g. sii
8. andare	h. poni

B. Complete these sentences with an appropriate command from those given in column B of exercise A.

1. _____ la tartaruga nell'acqua!
2. _____ dalla cucina!
3. _____ qui, per favore!
4. _____ a giocare con la palla!
5. _____ la testa alta!
6. _____ prudente, Giovanni!
7. _____ il bravo ragazzo!
8. _____ sempre la verità!

14. In un club

I. **Studio del vocabolario**

A. **Many words** that end in *-ous* in English end in *-oso* in Italian. For example: furious—*furioso*. Give the Italian equivalents of these English words.

1. curious
2. generous
3. amorous
4. glorious
5. odorous
6. industrious
7. numerous
8. fastidious

B. **Match** the holiday in column A with the appropriate date in column B.

A	B
1. Natale	a. Il dodici ottobre
2. La festa di S.Valentino	b. Il primo gennaio
3. La festa dell'Indipendenza degli Stati Uniti	c. Il quattordici febbraio
	d. Il venticinque dicembre
4. L'Anno Nuovo	e. Il due giugno
5. La festa della scoperta dell'America	f. Il quattro luglio
6. Il mio compleanno	g. Il _____
7. La festa della Repubblica Italiana	

C. **Express** these dates either orally or in writing.

1. May 20
2. October 7
3. September 27
4. November 4
5. August 1
6. July 26
7. January 21
8. March 19
9. June 28
10. August 16

II. Verbi

A. Complete these statements with the appropriate form of the verb given in the model.

La signora preferisce questa collana.

Io _____ quel berretto.
Tu e Cristina _____ giocare.
Lui ed io _____ andare a passeggio.
Tu _____ restare qui.

B. Complete these statements with the appropriate form of the verb given in parentheses.

1. Il regalo _____ per lui. (essere)
2. Noi _____ la porta. (chiudere)
3. Loro _____ nel club. (stare)
4. Chi _____ il regalo? (offrire)
5. Tu e Rosa _____ insieme. (ballare)
6. Io _____ alle tre e un quarto. (uscire)
7. Il cameriere _____ servire il pranzo. (potere)
8. Anna Maria _____ andare ad Amalfi. (dovere)
9. Chi _____ la porta aperta? (tenere)
10. Quando _____ tu alla festa? (andare)

III. Struttura della lingua

A. Adverbs. In Italian, to form the equivalent of the English -*ly* ending, -*mente* is added to the feminine singular form of an adjective. When an adjective ends in a vowel plus -*le* or a vowel plus -*re*, the final *e* is dropped before adding -*mente.*

Esempio: fortunato - fortunata - fortunatamente (fortunately)
facile - facilmente (easily)
regolare - regolarmente (regularly)

Write the corresponding adverb for each of the following adjectives.

1. lento	5. amabile	9. necessario
2. finale	6. immediato	10. possibile
3. dolce	7. forte	11. semplice
4. strano	8. generale	12. sincero

B. Read this paragraph and then provide the appropriate definite or indefinite article in each statement.

_____1_____ cieco cammina per _____2_____ strade
di _____3_____ città con _____4_____ fiaccola in
mano. - Sciocco - gli dice _____5_____ uomo che
passa. A che ti serve _____6_____ fiaccola? -
_____7_____ fiaccola serve per te -
risponde _____8_____ cieco - perchè tu, non
vedendomi, mi puoi urtare.

15. In una pasticceria

A. Match these synonyms.

A	B
1. bottega	a. delizioso
2. dipendente	b. focacceria
3. saporito	c. dividere
4. biscotteria	d. negozio
5. tagliare	e. commesso
6. pizzeria	f. pasticceria

B. Match these workers with the place in which they work.

A	B
1. banca	a. segretaria
2. aeroporto	b. maestro
3. negozio	c. portiere
4. teatro	d. cameriere
5. carcere	e. pilota
6. ospedale	f. commesso
7. scuola	g. cassiere
8. ufficio	h. medico
9. ristorante	i. attore
10. albergo	j. guardia

C. Match the worker in column A with a related verb or idiom in column B.

A	B
1. segretaria	a. volare
2. maestro	b. interpretare, fare la parte
3. portiere	c. pagare
4. cameriere	d. vendere
5. pilota	e. custodire
6. commesso	f. servire
7. cassiere	g. scrivere a macchina
8. medico	h. aprire e chiudere la porta
9. attore	i. insegnare
10. guardia	j. curare

D. Write an original sentence with each noun and verb in exercise C.

II. Verbi

A. Complete each statement with the appropriate form of *preferire.*

1. La signora _____ la cassata siciliana.
2. Io _____ la pizza napoletana.
3. Mario e Giovanni _____ le fettuccine Alfredo.
4. Tu _____ una fetta di spumone.
5. Pietro ed io _____ cenare tardi.
6. Voi _____ il panettone Alemagna.

B. Unscramble these sentences. You may have to change or add words.

1. Io/la/vedere/preferire/televisione.
2. Noi/museo/il/visitare/dovere.
3. Il cameriere/piatto/servire/di/un/tagliatelle.
4. La commessa/cassata siciliana/sei/tagliare/parti.
5. Tu/andare/romano/mangiare/ristorante/un/in.

III. Struttura della lingua

A. Substitute the direct object pronoun for the direct object in each statement.

Esempio: Io vedo la montagna. Io la vedo.

1. Io compro i dolci.
2. Tu cerchi le scarpe.
3. L'avvocato difende la causa.
4. I turisti visitano il museo.
5. Anna Maria riceve una collana.
6. Il cameriere porta i piatti.
7. La maestra apre la finestra.
8. Noi spendiamo i soldi.
9. Essi ascoltano la radio.
10. L'alunno studia la lezione.

B. Complete these statements with the appropriate direct object pronoun.

1. Mia madre prepara una frittata ed io _____ mangio.
2. Questa cassata siciliana è saporita. _____ compro.
3. Conosci il direttore della scuola? Sì, _____ conosco.
4. Il passeggero firma la dichiarazione ed il doganiere _____ accetta.
5. Visitate spesso i musei? Sì, _____ visitiamo.
6. Questa finestra è aperta ed io _____ chiudo.
7. Il postino mi dà una lettera ed io _____ apro.
8. Il signore firma un assegno ed il cassiere _____ cambia.
9. La lezione è molto interessante ed io _____ ascolto.
10. Ricevi molti regali? Sì, _____ ricevo.
11. Queste mele sono mature e noi _____ cogliamo.
12. Amate i vostri nonni? Sì, _____ amiamo.

16. In una lavanderia

I. Studio del vocabolario

A. Match these synonyms.

A	B
1. perdere	a. vestito
2. abito	b. caro
3. preferito	c. più tardi
4. costoso	d. favorito
5. poi	e. smarrire

B. Match these antonyms.

A	B
1. credere	a. sciatto
2. pulire	b. consegnare
3. ritirare	c. prima
4. dopo	d. sporcare
5. elegante	e. dubitare

C. Identify the articles of clothing shown in the drawings below from the words given.

1. la camicia	7. i guanti	13. la gonna
2. le scarpe	8. la giacca	14. il soprabito
3. i calzini	9. l'abito da uomo	(cappotto)
4. il berretto	10. la veste	15. il panciotto
5. la cravatta	11. i pantaloni	
6. la camicetta	12. il fazzoletto	

a.   b.   c.

d.   e.   f.

g. h. i.

j. k. l.

m. n. o.

D. Complete these statements with the appropriate word.

1. Quando fa freddo, mi metto il _____ .
2. Alle mani porto i _____ .
3. La signora indossa una _____ molto elegante.
4. D'inverno porto ai piedi i _____ di lana.
5. Un abito completo da uomo è formato da una giacca, un paio di pantaloni e un _____ .
6. Gli uomini portano i pantaloni e le donne portano la _____ .
7. Uso il _____ per soffiarmi il naso.
8. Quando va in ufficio, Mario porta una camicia con _____ a pallini rossi.
9. Spesso porto in testa un _____ sportivo.
10. A volte in primavera porto una _____ con le maniche corte.

II. Verbi

Complete each sentence according to the model.

Modello: Il signore cerca una camicia

e _____ _____ .

Il signore cerca una camicia e la trova.

1. Io cerco un fazzoletto

e _____ _____ .

2. Mia sorella ed io cerchiamo i guanti

e _____ _____ .

3. Tu cerchi una gonna

e _____ _____ .

4. I ragazzi cercano le scarpe

e _____ _____ .

5. Rosa cerca la camicetta

e _____ _____ .

6. Voi cercate i guanti

e _____ _____ .

III. Struttura della lingua

A. **Unscramble** these sentences. You may have to make some changes.

1. I/signori/lavanderia/entrare/nella
2. lo/avere/non/scontrino/lo/signora/della
3. Lei/diecimila/dovere/mi/lire
4. Noi/pulire/i/sempre/pantaloni/suoi
5. Non/pronta/essere/veste?/ perchè/mia/la

B. **Complete** these sentences following the model.

Modello: Voglio lavare *la mia biancheria.*   Voglio lavar*la.*

1. Desidero vedere lo scontrino.
2. Tonino von vuole mettere i guanti.
3. Vado a comprare una cassata siciliana.
4. (Tu) desideri indossare la camicetta di seta.
5. (Voi) volete portare le scarpe nuove.
6. Egli non vuole stirare la camicia.
7. La mamma deve lavare i fazzoletti.
8. Dobbiamo studiare la lezione.
9. Tu e Cristina volete cogliere le rose.
10. Il lavandaio deve trovare la veste.

C. Possessive Adjectives. A possessive adjective agrees in gender and number with the noun it modifies and is generally preceded by a definite article.

Esempio: il mio libro   my book
la mia casa   my house

Choose the correct form of the possessive adjective in parentheses.

1. stanza	(il tuo, la tua, i tuoi, le tue)
2. amici	(il mio, la mia, i miei, le mie)
3. scarpe	(il tuo, la tua, i tuoi, le tue)
4. cappello	(il suo, la sua, i suoi, le sue)
5. nonni	(il nostro, la nostra, i nostri, le nostre)
6. compito	(il vostro, la vostra, i vostri, le vostre)
7. genitori	(il Loro, la Loro, i Loro, le Loro)
8. sorelle	(il Suo, la Sua, i Suoi, le Sue)
9. cugini	(il loro, la loro, i loro, le loro)
10. città	(il mio, la mia, i miei, le mie)

17. In chiesa

I. Studio del vocabolario

A. Some English nouns that end in -*ment* have a final -*o* in Italian. For example: *impediment* in English becomes *impedimento* in Italian. Form the Italian equivalents of these words in English.

1. testament
2. element
3. moment
4. document
5. ornament
6. monument
7. sentiment
8. cement
9. torment
10. sediment

B. Match these antonyms.

A	B
1. gioia	a. sposo
2. bene	b. accompagnata
3. sedersi	c. bugia
4. cominciare	d. alzarsi
5. sola	e. male
6. gentile	f. tristezza
7. sposa	g. scortese
8. verità	h. finire

II. Verbi

A. The verbs *conoscere* and *sapere* both mean to know, but they are not interchangeable in Italian. *Conoscere* means to be acquainted with, to be familiar with people, places, and sometimes things (like school subjects). *Sapere* means to know a thing or a fact, to know how (to do something), to learn, to find out.

Complete these sentences with the present tense of *conoscere* or *sapere*.

1. Noi non _____ guidare la macchina.
2. Voi _____ bene la grammatica italiana.
3. Lo studente _____ il numero di telefono della scuola.
4. Carlo _____ suonare il pianoforte.
5. Tu _____ tutte le strade della città.
6. Io desidero _____ dove abiti.

115

7. Lui _____ Stefano molto bene.
8. Loro _____ quando parte il treno.
9. Noi _____ che Giorgio è qui.
10. _____ (voi) mio zio, il signor Cardillo?

B. Complete each sentence following the model sentence.

1. L'alunno offre un fiore alla maestra.
   Tu _____ .
   Loredana e Luisa _____ .
   Noi _____ .
   Tu e Pierino _____ .
   Io _____ .
2. La mamma finisce di pulire i panni.
   Tu _____ .
   Chi _____ ?
   Laura e Lia _____ .
   Io e Carmela _____ .
   Voi _____ .

III. Struttura della lingua

A. Possessive Adjectives. Remember that a possessive adjective agrees in gender and number with the object possessed and *not* with the possessor, as in English.

Esempio: Maria è nel *suo giardino.*   *Mary* is in *her* garden.
Giovanni vende la *sua casa.*   *John* sells *his* house.

Choose the correct form of the possessive adjective in parentheses.

1. Roberto cerca _____ guanti. (il suo, la sua, i suoi, le sue)
2. La mamma ama _____ bambino. (il suo, la sua, i suoi, le sue)
3. Noi ascoltiamo _____ maestro. (il nostro, la nostra, i nostri, le nostre)
4. Dove metti _____ vestiti? (il tuo, la tua, i tuoi, le tue)
5. Voi pulite _____ casa. (il vostro, la vostra, i vostri, le vostre)

116

B. Read this paragraph and then select the appropriate word from those given to complete each statement.

conosce   nuziale   di

alle   vanno   un

invece   prendere posto

che   si sposa

Oggi è _____1_____ giorno molto importante per Graziella, perchè essa _____2_____ con il suo fidanzato Nicola. La cerimonia _____3_____ avviene in chiesa _____4_____ ore dodici. Molti parenti ed amici _____5_____ alla cerimonia ed alla festa che segue. In chiesa un amico _____6_____ si chiama Gino aiuta gli invitati a _____7_____ . Una signora entra in chiesa sola. Gino non la _____8_____ . La signora sembra un'amica della sposa; _____9_____ è la madre _____10_____ Nicola.

18. In una cartoleria

I. Studio del vocabolario

A. Match the words with the drawings.

1. i palloncini
2. il regalo
3. le candeline
4. le forchette
5. le decorazioni

6. i bicchieri
7. i cucchiaini
8. la torta
9. le bibite
10. gli inviti

B. Complete these statements with the appropriate words from those given below.

cartoline d'auguri   moneta

regali   grande magazzino

qui   incontro

1. La _____ che circola in Italia si chiama la lira.
2. Tutti i giorni _____ il mio amico a Piazza Navona.

3. Ciao, Gennaro, che fai _____?
4. Il giorno del mio compleanno ricevo
   molte _____ .
5. La Standa è un _____ dove si vende ogni
   genere di prodotti.
6. Gli invitati portano molti _____ alla sposa.

II. Verbi

A. Indicate the familiar singular (*tu*) command of these verbs.

Esempio: ascoltare - ascolta (tu)   perdere - perdi (tu)
         dormire - dormi (tu)   spedire - spedisci (tu)

1. entrare	8. bere	15. pulire
2. pagare	9. prendere	16. giocare
3. scrivere	10. camminare	17. vendere
4. correre	11. rispondere	18. finire
5. aiutare	12. credere	19. invitare
6. coprire	13. venire	20. partire
7. leggere	14. imparare	

B. Follow the model.

Modello: Voglio leggere il giornale.
         Dunque, leggi il giornale.

1. Voglio cantare una canzone.
2. Voglio scrivere una lettera.
3. Voglio spedire un pacco.
4. Voglio imparare la lezione.
5. Voglio vendere la bicicletta.
6. Voglio aprire la finestra.
7. Voglio comprare un regalo per un mio amico.
8. Voglio bere un bicchiere di latte.
9. Voglio camminare più svelto.
10. Voglio pulire la mia stanza.

III. Struttura della lingua

A. Complete each statement with the definite or indefinite article, if it is required.

1. Marco è _____ studente di lingua italiana.
2. Buon giorno, _____ signor Bonelli.
3. Roberto è _____ dottore.
4. Ciao, _____ professor Ballerini.
5. Adriano scrive la lettera in _____ italiano.
6. Mi dispiace molto, ma _____ signora Ferri non è qui.
7. Non vado a scuola _____ domenica.
8. Carlo è _____ buon professore.
9. _____ italiano è una lingua molto bella.
10. _____ signor Graziosi è molto intelligente.

B. Write an invitation in Italian to a friend inviting him/her to a party. Use these words and expressions as a guide.

1. domenica
2. alle sei del pomeriggio
3. via _____
4. il compleanno
5. festeggiare
6. invitare

19. Ad un banchetto

I. Studio del vocabolario

A. Match the cardinal numbers in column A with the ordinal numbers in column B.

A	B
1. nove	a. secondo
2. sei	b. ottavo
3. cinque	c. primo
4. uno	d. nono
5. dieci	e. quarto
6. otto	f. terzo
7. quattro	g. quinto
8. tre	h. settimo
9. due	i. sesto
10. sette	j. decimo

B. Word Group. For each of these words, find a word in the story that is related. Give the meaning of both words.

1. il ricevimento
2. cenare
3. il marito
4. il sapore
5. abbondante
6. imbarazzo
7. mai
8. gelare

II. Verbi

A. Complete each sentence following the model sentence.

Io ripeto le parole della canzone.

Loro _____ .
Chi _____ ?
Manlio ed io _____ .
Tu _____ .
Gennaro _____ .
Voi _____ .

B. Write the appropriate command form in each of these statements.

1. (correre) _____ tu a chiudere la porta!
2. (guardare) _____ tu la televisione!
3. (rispondere) _____ tu alla domanda!
4. (ascoltare) _____ tu questa canzone!
5. (ripetere) _____ tu questa frase!
6. (finire) _____ tu l'esercizio d'italiano!

III. Struttura della lingua

A. Replace the indirect object with the appropriate indirect object pronoun.

Esempi: Io do un regalo *a Saverio.* Io *gli* do un regalo.
Voi date una mela a *Lina e Franca.* Voi date *loro* una mela.

1. La signora Baldo insegna l'italiano *agli alunni.*
2. Tu scrivi molte lettere *ad Anna.*
3. Il professore spiega la lezione *a Tonino e a Carlo.*
4. Il postino dà una lettera *a me ed a mia madre.*
5. Io do un disco italiano *a te e a tuo fratello.*

B. Form a question by matching the interrogative word in column A with the segment in column B.

A	B
1. Dove	a. ora vai a dormire?
2. Che	b. ragazze vanno alla festa?
3. Come	c. è questo?
4. Quante	d. sta tuo padre?
5. Qual	e. è il tuo maestro?
6. Quando	f. è il tuo posto?
7. Chi	g. vai in Italia?
8. A che	h. si trova Milano?

20. In salotto

Studio del vocabolario

A. **Identify** the store in which you would buy these items or services.

1. un garofano
2. un orologio
3. la carne
4. un gelato
5. una torta

6. un purgante
7. un taglio di capelli
8. un dizionario
9. un paio di scarpe
10. un braccialetto

B. **Complete** these sentences following the model.

Il panettiere vende il pane nella panetteria.

1. Il macellaio vende _____ nella macelleria.
2. Il farmacista vende _____ nella farmacia.
3. Il droghiere vende _____ nella drogheria.
4. Il barbiere taglia i capelli nel _____ .
5. _____ vende i dolci nella _____ .
6. _____ vende _____ nella cartoleria.

II. **Verbi**

A. **Complete** these sentences.

1. Voi comprerete una stoffa di cotone.
   Tu _____ .
   Io _____ .
   Lisa ed io _____ .
   Chi _____ ?
   Le signore _____ .
2. Io canterò una bella canzone.
   Angelo e Arturo _____ .
   Tu _____ .
   Claudia _____ .
   Michele ed io _____ .
   Chi _____ .
   Voi _____ .

123

B. Complete these statements with the appropriate form of the verb given in parentheses in the future tense.

1. Ada _____ un vestito nuovo. (comprare)
2. Tu _____ con il professore. (studiare)
3. I signori _____ con il direttore. (parlare)
4. Lui _____ la polizia. (chiamare)
5. Ambrogio ed io _____ il duomo di Milano. (visitare)
6. Sergio _____ con Claudia. (ballare)
7. Noi _____ dei fiori nel giardino. (piantare)
8. La nonna _____ molte belle favole. (raccontare)
9. Il treno _____ in ritardo. (arrivare)
10. Tu e Gina _____ molto. (lavorare)

III. Struttura della lingua

Complete each sentence with the appropriate disjunctive pronoun.

Esempio: Compro un orologio *per Nino.*
Compro un orologio *per lui.*

1. Voi parlate di Anna e di Tina. Voi parlate di _____ .
2. Tu vai a scuola con tua sorella. Tu vai a scuola con _____ .
3. Io non viaggio senza di mio padre. Io non viaggio senza di _____ .
4. Mario mangia insieme con me e mio fratello. Mario mangia insieme con _____ .
5. Io raccolgo i fiori per te e per Teresa. Io raccolgo i fiori per _____ .
6. Voi giocate con Luigi e Francesco. Voi giocate con _____ .
7. Cosa vuoi da Gina? Cosa vuoi da _____ ?

21. Nella dispensa

I. Studio del vocabolario

A. Match these antonyms. Then complete the sentence that follows the exercise with the words you form from the underlined letters in column B.

A	B
1. aprire	a. ch<u>i</u>udere
2. mai	b. ava<u>n</u>ti
3. credere	c. debol<u>e</u>
4. dopo	d. a<u>n</u>dare
5. tutto	e. <u>g</u>iorno
6. oggi	f. se<u>r</u>a
7. trovare	g. figli<u>a</u>
8. venire	h. <u>pe</u>rdere
9. dietro	i. ba<u>s</u>so
10. notte	k. s<u>e</u>mpre
11. forte	l. dub<u>i</u>tare
12. mattina	m. <u>i</u>eri
13. madre	n. pri<u>m</u>a
14. alto	o. <u>n</u>iente

Non c'è mai _____ da _____ in questa casa!

B. Indicate the word that does not belong in the group.

1. mozzarella	ricotta	formaggio	piselli
2. lattuga	birra	finocchio	broccolo
3. prugna	fragola	ravioli	uva
4. panetteria	teatro	oreficeria	cartoleria
5. cucina	dispensa	cantina	sala da pranzo

II. Verbi

A. Change the following statements to the future tense.

1. Voi rispondete alla mia domanda.
2. Sandro ed io leggiamo un libro d'avventure.
3. Gianni accende la luce nella sua camera.
4. Noi scriviamo una lettera ai nonni.
5. Giorgio e Luca vendono la loro bicicletta.
6. Gli alunni chiudono le finestre.
7. Lei prende un caffè ed un succo d'arancia.
8. Voi leggete questo racconto.
9. Il maestro corregge i compiti.
10. I soldati difendono la patria.

B. Complete the sentence with the appropriate infinitive according to the cue. Follow the model.

(la cantina) Non c'è niente da bere.

1. (la cucina) Non c'è niente da _____ .
2. (la biblioteca) Non c'è niente da _____ .
3. (la televisione) Non c'è niente da _____ .
4. (la dogana) Non c'è niente da _____ .
5. (la banca) Non c'è niente da _____ .
6. (La radio) Non c'è niente da _____ .
7. (il supermercato) Non c'è niente da _____ .
8. (il museo) Non c'è niente da _____ .

III. Struttura della lingua

A. Change each sentence to the negative.

Esempio: Io ho qualche speranza. Io non ho nessuna speranza.

1. Vado a chiamare qualcuno.
2. Loro vanno sempre a Napoli.
3. Qualcuno bussa alla porta.
4. Carlo ha sempre fortuna.
5. Tu leggi alcuni giornali.
6. Mario ascolta sempre la radio.
7. Noi abbiamo qualche giocattolo.

B. Read this passage and then select the words needed to complete the sentence from those given below.

Vincenzo ha sempre molta _____1_____ . Quando
vuole mangiare _____2_____ , entra in cucina ed apre il
frigorifero. Passa in _____3_____ tutti i viveri che ci
sono, però con scarsa _____4_____ . Non trova
mai _____5_____ di buono da sgranocchiare mentre
studia o mentre guarda la televisione. Cerca anche
nella _____6_____ , però non trova niente
di _____7_____ . Secondo la mamma, Vincenzo non sa
quello che _____8_____ .

vuole	dispensa	fortuna
fame	rassegna	niente
qualcosa	appetitoso	

22. Ad un veglione di Carnevale

I. Studio del vocabolario

A. Match these antonyms.

A		B	
1.	arrivare	a.	poco
2.	vicino a	b.	brutto
3.	uscire	c.	lontano da
4.	amico	d.	calda
5.	prima	e.	togliere
6.	bello	f.	nemico
7.	fredda	g.	partire
8.	finire	h.	entrare
9.	mettere	i.	cominciare
10.	molto	j.	dopo

B. Many words in English that end in -al have a final -e in Italian.

Esempio: regional—regionale

Give the Italian equivalent of these words.

1.	pastoral	6.	plural
2.	manual	7.	capital
3.	postal	8.	animal
4.	universal	9.	total
5.	musical	10.	original

C. In some cases when the English word ends in -cal, the Italian word often ends in -co.

Esempio: logical—logico

Give the Italian equivalent of these words.

1.	magical	5.	biological
2.	comical	6.	nautical
3.	economical	7.	angelical
4.	fanatical	8.	biblical

II. Verbi

Complete each sentence with the appropriate form of the verb.

1. Io ho avuto un bel regalo.
   Egli _____ una penna rossa.
   Lina e Carla _____ un libro nuovo.
   Roberto ed io _____ un orologio d'oro.
   Tu _____ un invito per il ballo.
   Voi _____ un pacco di caramelle.

2. Gino è stato a Torino.
   Tu _____ a Milano.
   Io _____ a Bologna.
   Tommaso ed io _____ a Genova.
   Voi _____ a Napoli.
   Giorgio e Francesco _____ a Palermo.

III. Struttura della lingua

A. Complete each statement with the appropriate demonstrative adjective.

questo   questa
questi   queste

1. _____ scarpe sono rotte.
2. E' _____ il tuo quaderno?
3. _____ mela è matura.
4. Di chi sono _____ fiori?
5. _____ sono le cose che mi rallegrano!
6. Come si chiama _____ ragazza?
7. _____ giocattoli sono molto costosi.
8. _____ ballo è molto divertente.
9. _____ scuola ha molti maestri.
10. Dove va _____ signore?

B. Complete these statements following the model.

Modello: Non voglio questo libro; voglio questa penna.

1. Non compriamo questa cravatta;
   compriamo _____ calzoni.
2. Non visitiamo questo museo;
   visitiamo _____ chiesa.

3. Non invitare questo ragazzo;
   invita _____ ragazze.
4. Anna e Rosa non vogliono questa torta;
   vogliono _____ dolci.
5. Io non leggo questo giornale;
   leggo _____ rivista.
6. Noi non andiamo a questa scuola; andiamo
   a _____ stadio.
7. Non mi piace questa banana; mi
   piace _____ caffè.
8. Rita non vuole questi garofani;
   vuole _____ margherite.
9. Non chiudere questa porta;
   chiudi _____ finestre.
10. Noi non beviamo queste bibite;
   beviamo _____ cappuccino.

23. In casa di un avvocato

I. Studio del vocabolario

A. Match the words in column A with the related words in column B.

A	B
1. avvocato	a. teatro
2. elettricista	b. ospedale
3. idraulico	c. acqua
4. pompiere	d. denti
5. macellaio	e. alunni
6. soldato	f. esercito
7. attore	g. aereo
8. commerciante	h. luce
9. dentista	i. legge
10. infermiera	j. incendio
11. maestro	k. negozio
12. pilota	l. carne

B. Complete each statement with a word from columns A or B in exercise A. (Note: You may have to make some changes.)

1. Ci sono molti _____ in un esercito.
2. Non c'è acqua in casa; chiamiamo un _____ .
3. Gli _____ lavorano in un teatro.
4. Gianni, va' a comprare due bistecche dal _____ .
5. L'_____ aiuta il medico.
6. Non c'è luce in questa stanza; chiamiamo un _____ .
7. Il _____ assegna i compiti agli alunni.
8. Il _____ guida l'aereo.
9. In questo negozio c'è un onesto _____ .
10. C'è un grande incendio; chiamiamo i _____ .

II. Verbi

Change the following statements to the future.

1. Gli operai costruiscono un nuovo stadio.
2. Voi partite per Torino.
3. Lisa spedisce una lettera alla sua amica.
4. Noi sentiamo una bella canzone.
5. Loro puliscono il pavimento.
6. Il cameriere serve una bistecca ai ferri.
7. Tu e Giorgio aprite le finestre.
8. Io seguo sempre i tuoi consigli.
9. Emilio offre un gelato al ragazzo.
10. Tu capisci l'arte moderna.

III. Struttura della lingua

A. Complete these statements with the appropriate preposition.

a   di   per

1. Tu non m'invitasti _____ studiare con te.
2. La signora Giordano sta _____ arrivare a casa.
3. Gina aiuta la mamma _____ preparare la tavola.
4. Sergio non smette _____ parlare col suo vicino.
5. Ragazzi, continuate _____ studiare l'italiano.
6. Noi andiamo a scuola _____ imparare la grammatica.
7. Rino, comincia _____ mangiare questa frittata.
8. Paola e Rosa arrivarono quando noi stavamo _____ uscire.
9. Io ho voglia _____ fare una bella passeggiata.
10. Mamma, aiutami _____ fare i compiti.

B. Unscramble these statements. Use the present form of the verb. You may have to add words.

1. di/elettricista/ casa/lavorare/un/avvocato
2. dovere/riparare/luce/noi
3. guadagnare/non/molto/avvocato
4. elettricista/farsi/egli
5. io/lì/andare/pomeriggio/quattro/alle
6. medico/fare/visita/una/ieri
7. Giovanni/colazione/fare/abbondante

24. Dal barbiere

I. Studio del vocabolario

A. Match these antonyms.

1.	sinistro	a.	prima
2.	lungo	b.	diverso
3.	coprire	c.	dietro
4.	ultima	d.	corto
5.	davanti	e.	giù
6.	su	f.	destro
7.	uguale	g.	scoprire

B. Gina insists that the following things are one way, and Vittorio says that they are the opposite. Rewrite these statements assuming Vittorio's role. Follow the model.

Modello: La maestra è *davanti alla* classe.
No. La maestra è *dietro alla* classe.

1. Il Messico è *al nord* degli Stati Uniti.
2. Il gatto è *sulla* tavola.
3. La banca si trova *vicino alla* chiesa.
4. Le automobili viaggiano sul lato *sinistro* della strada.
5. Questi pantaloni sono tutti *uguali.*
6. Adriana è arrivata *ultima.*
7. Giuseppe è andato *su.*

II. Verbi

A. Indicate the polite singular (*Lei*) command of the verbs given.

Esempi: Parlare - parli (Lei)!   ascoltare - ascolti (Lei)!
partire - parta (Lei)!   chiudere - chiuda (Lei)!

1. preparare		8. aprire
2. leggere		9. prendere
3. guardare		10. rispondere
4. salire		11. aiutare
5. entrare		12. correre
6. bere		13. scrivere
7. studiare		14. vendere

15. domandare   18. credere
16. coprire   19. camminare
17. ballare   20. dividere

B. Follow the model.

Modello: Voglio comprare una casa. La compri!

1. Voglio aprire il regalo.
2. Voglio chiamare il direttore.
3. Voglio ascoltare la canzone.
4. Voglio mangiare una pizza.
5. Voglio prendere un caffè.
6. Voglio dividere la torta.
7. Voglio apparecchiare la tavola.
8. Voglio aprire la finestra.
9. Voglio scrivere una cartolina.
10. Voglio pagare il conto.

III. Struttura della lingua

A. Prepare a question for each sentence based on the words in italics.

1. Il signore vuole il taglio *corto.*
2. *Domani* Sandro andrà dal barbiere.
3. Il barbiere usa *le forbici* per tagliare i capelli.
4. Il signore ha pagato *dieci dollari.*
5. Il salone si trova *a fianco* alla pasticceria.

B. Read this paragraph and then select the appropriate word from those on the next page to complete each statement.

Alberto va a farsi _____1_____ i capelli da
un _____2_____ che si trova _____3_____ suo ufficio.
Normalmente va durante l'intervallo _____4_____ la
colazione, così non _____5_____ molto tempo. Non gli
è piaciuto come il barbiere gli ha tagliato i capelli
_____6_____ volta, però decide _____7_____
tornare ancora _____8_____ lui. Non c'è
_____9_____ cliente _____10_____ entra nel salone;

perciò _____11_____ deve aspettare. Si siede sulla
poltrona e spiega _____12_____ barbiere come deve
tagliargli i capelli questa _____13_____ .

         al   nessun   perde
      barbiere   quando   di
      tagliare   volta   non
        vicino al   l'ultima
           per   da

25. Al telefono

I. Studio del vocabolario

A. Many English words that end in *-ine* end in *-ino* in Italian.

Esempio: divine—divino

Give the Italian equivalent of these words.

1. bovine
2. supine
3. genuine
4. equine
5. alpine

6. clandestine
7. canine
8. feline
9. endocrine
10. pine

B. Complete these statements.

1. Se oggi è mercoledì, ieri è stato _____ e domani sarà _____ .
2. Se oggi è lunedì, ieri è stato _____ e domani sarà _____ .
3. Se oggi è sabato, ieri è stato _____ e domani sarà _____ .
4. Se oggi è giovedì, ieri è stato _____ e domani sarà _____ .
5. Se oggi è martedì, ieri è stato _____ e domani sarà _____ .
6. Se oggi è venerdì, ieri è stato _____ e domani sarà _____ .
7. Se oggi è domenica, ieri è stato _____ e domani sarà _____ .

II. Verbi

A. Complete these sentences following the model sentences.

1. Lei mangerà molto.

Io _____ troppo.

Essi _____ abbastanza.

Tu _____ poco.

Giorgio ed io _____ in fretta.

2. Tu arriverai a Roma.

Noi _____ a Bari.

Io _____ a Pisa.

I turisti _____ a Venezia.

La signora _____ ad Amalfi.

B. Write the correct form of the verb indicated in the *future*.

1. Io _____ dalla pasticceria. (uscire)
2. Voi _____ la rivista italiana. (leggere)
3. Il barbiere _____ il salone alle nove. (aprire)
4. Il contadino _____ l'uva nel vigneto. (cogliere)
5. Essi _____ gli occhi con le mani. (coprirsi)
6. Io _____ la mia bicicletta. (vendere)
7. Tu _____ di andare a Capri. (decidere)
8. Rinaldo ed io non _____ niente. (capire)
9. Chi _____ il prezzo? (alzare)
10. Carlo _____ di pagare il conto. (promettere)

III. Struttura della lingua

Follow the model.

Modello: Non voglio questa rivista; voglio *quella* rivista.

1. Non mi piace questo ristorante spagnolo; mi piace _____ ristorante italiano.
2. Non metto questa cravatta rossa; metto _____ cravatta azzurra.
3. Non compriamo questi vestiti; compriamo _____ vestiti.
4. Non regaliamo queste margherite bianche; regaliamo _____ margherite gialle.
5. Essi non vogliono questo pacchetto; essi vogliono _____ pacchetto.
6. Il professore non parlò a questi studenti; parlò a _____ studenti.
7. Voi non leggeste questi giornali; voi leggeste _____ giornali.
8. Non riempire questo spazio; riempi _____ spazio.

26. Alla cassa di un piccolo albergo

I. Studio del vocabolario

A. Many English words that end in *-ct* end in *-tto* in Italian. Form the Italian equivalent of the following words.

Esempio: perfect — perfetto

1. correct
2. dialect
3. pact
4. intellect
5. edict

6. aspect
7. insect
8. prospect
9. direct
10. prefect

B. Match the related words.

A	B
1. conto	a. perfetto
2. stanza	b. albergatore
3. servizio	c. dollaro
4. centesimo	d. pagare
5. cliente	e. albergo

II. Verbi

A. The present perfect tense (*passato prossimo*) expresses an action that took place recently, within a span of time that includes the present. It is formed by combining the present tense of *avere* (in some cases *essere*) with the past participle of the verb to be conjugated. The past participle is formed from the infinitive stem plus *-ato* for the first conjugation, *-uto* for the second conjugation, and *-ito* for the third. In this chapter we use only the verbs that take *avere.* In the next chapter we will use the verbs that take *essere.* Here are the models:

First Conjugation   *Io ho cantato* (I sang, I have sung, I did sing)
Second Conjugation   *Io ho veduto* (I saw, I have seen, I did see)
Third Conjugation   *Io ho finito* (I finished, I have finished, I did finish)

Change the following sentences to the present perfect.

1. Voi visitate la famiglia Rossi.
2. La cameriera serve il pranzo.
3. Noi ripetiamo la lezione d'italiano.
4. Io ascolto la musica di Verdi.
5. Tu e Linda temete gli esami finali.
6. Anna pulisce la stanza da letto.
7. Loro pranzano al ristorante italiano.
8. Giacomo ed io riceviamo il giornale della scuola.
9. Lui preferisce ballare con Elisa.
10. Io compro un paio di guanti.

B. **Reviewing** the -are/-ere/-ire verbs in the future. Complete each statement with the appropriate form of the verb indicated in parentheses in the *future.*

1. Giacomo _____ la rivista. (leggere)
2. Mia madre _____ la cena. (preparare)
3. Tu _____ molte cartoline. (scrivere)
4. Il treno _____ in orario. (arrivare)
5. Gennaro _____ la sua bicicletta. (vendere)
6. I turisti _____ le valige. (perdere)
7. Noi _____ una bella canzone. (ascoltare)
8. Tu _____ molti fiori nel giardino. (piantare)
9. Io _____ una lettera. (spedire)
10. Voi _____ tutta la sera. (ballare)

III. **Struttura della lingua**

Complete these statements with *di* or *a.*

1. Non mi piace guidare _____ notte.
2. La lettura è _____ pagina venticinque.
3. L'ufficio del direttore è _____ destra.
4. Carlo fa i compiti _____ buona voglia.
5. Vuoi lavorare _____ giorno
   o _____ notte?
6. Roberto, gira _____ destra,
   non _____ sinistra.
7. _____ che colore è la rosa?
8. La scuola è _____ fronte alla banca.

AVVIAMENTO ALLA COMPOSIZIONE ED ALLA DISCUSSIONE

Create a story based on the topic *Come hai passato il fine-settimana?* You may use these suggested cues:

1. Dove sei stato?
2. Chi ti ha accompagnato?
3. Quando sei partito?
4. Cosa hai visto?
5. Ti sei divertito?

27. Dal dentista

Studio del vocabolario

A. Match these antonyms.

1.	ieri sera	a.	cariato
2.	sedersi	b.	mettere dentro
3.	bene	c.	chiudere
4.	aprire	d.	male
5.	sano	e.	stasera
6.	estrarre	f.	alzarsi

B. Many English words that end in *-ble* end in *-bile* in Italian. Form the Italian equivalent of the following words.

Esempio: *abominable - abominabile*

1.	vulnerable	6.	venerable
2.	deplorable	7.	adorable
3.	curable	8.	lamentable
4.	miserable	9.	sensible
5.	ineffable	10.	terrible

II. **Verbi**

Change the following sentences in the present perfect. (Remember that the auxiliary *essere* has to be used and the past participle has to agree with the subject in gender and number.)

1. Il treno arriva alle due meno un quarto.
2. Le foglie cadono dagli alberi.
3. Io parto insieme a mio fratello.
4. Giovanni e Carlo tornano a casa molto presto.
5. Tu vieni sempre a passeggiare con me.
6. A che ora uscite di casa?
7. Questo pianista diventa celebre.
8. Noi riusciamo a capire ogni cosa.
9. I ladri scappano dalla porta della cucina.
10. Voi andate in città con l'autobus.

III. Struttura della lingua

Read this paragraph and then select the words that are needed to complete each statement from those given below.

Povera Gemma! Non _____1_____ sente bene. _____2_____ fa male un molare. Ha un dolore terribile e va _____3_____ dentista. Egli vede _____4_____ problema quando Gemma apre _____5_____ bocca. Deve estrarle un molare. Pochi minuti _____6_____ , Gemma si alza dalla poltrona, però ha _____7_____ dolore terribile in _____8_____ la bocca. Il dentista non Le ha estratto il molare _____9_____ ; Le ha estratto il molare _____10_____ .

	sano	dopo	il
	si	tutta	la
Le	cariato	un	da

AVVIAMENTO ALLA COMPOSIZIONE ED ALLA DISCUSSIONE

Create a story based on the topic *Dal Medico, Dal Dentista o In Ospedale.* You may use these suggested cues:

1. Quando ci sei stato?
2. Perchè ci sei andato?
3. Chi ti ha curato?
4. Quanto hai pagato?
5. Come ti sei sentito dopo?

28. Alla Galleria degli Uffizi

I. Studio del vocabolario

A. Match these synonyms.

A	B
1. volere	a. molte volte
2. pitture	b. assai
3. amici	c. desiderare
4. molto	d. conoscere
5. spesso	e. quadri
6. sapere	f. compagni

B. Match these related words.

1. fiorentino	a. Torino
2. napoletano	b. Bari
3. barese	c. Milano
4. milanese	d. Firenze
5. bolognese	e. Napoli
6. torinese	f. Genova
7. genovese	g. Bologna

C. Come si chiamano gli abitanti di _____ ?

1. Palermo
2. Trieste
3. Venezia
4. Perugia
5. Roma
6. Avellino
7. Cosenza
8. Catania
9. Trento
10. Pisa

II. Verbi

Change the following sentences to the present perfect. Use the auxiliary *avere* or *essere*, as required.

1. Voi comprate un vestito nuovo per la festa.
2. Loro aspettano fino all'ultimo momento.
3. Pietro ed io andiamo in vacanza a Capri.

143

4. Lei viaggia spesso in Italia.
5. Io parto sempre con il treno di mezzanotte.
6. Tu torni spesso a visitare la tua città.
7. Noi studiamo la lezione d'italiano insieme al professore.
8. Voi salite sugli alberi a cogliere le mele.
9. Io presento la mia amica a Mariella.
10. Essi cadono per le scale.

III. Struttura della lingua

A. Unscramble these statements.

1. italiane / collezione di / una/pitture / c'è / discreta
2. alla / visita / perchè / una / fate / Galleria?
3. Galleria / signore / spesso / un / viene / alla
4. ripararsi / un / pioggia / altro / dalla / chiede / signore / di
5. un / da / viene / signore / Nuova York
6. guida / domande / una / molte / fa

B. Reorder the statements in exercise A according to the sequence of the *dialogo*.

AVVIAMENTO ALLA COMPOSIZIONE ED ALLA DISCUSSIONE

Create a story based on the topic *Il museo*. You may use these suggested cues:

1. Qual è il tuo museo preferito?
2. Quando ci sei stato l'ultima volta?
3. Come ci sei arrivato?
4. A che ora ci sei arrivato?
5. Cosa ti è piaciuto vedere lì?
6. Dove hai mangiato quando sei uscito dal museo?

29. Al Caffè Metropolitano

I. Studio del vocabolario

A. Indicate the word that does not belong in each group.

1. gelateria	caffè	albergo	bar
2. scuola	cinema	stadio	teatro
3. nave	aereo	sogno	autobus
4. occhio	piede	creatura	petto
5. dirigente	capo	direttore	chirurgo

B. Find the word that is missing in the story.

1. Vedo un film in un _____ .
2. Ai bambini piace giocare nel _____ .
3. Quando sono raffreddato, parlo con voce _____ .
4. I piedi degli animali si chiamano _____ .
5. I marziani viaggiano in una _____ _____ .
6. Un medico che opera gli ammalati si chiama _____ .
7. Io gridai perchè ebbi _____ della creatura.

II. Verbi

A. Select the verb form that is *incorrect* for the subject indicated.

1. Il barbiere (taglia, ha tagliato, tagliano) i capelli.
2. Noi (andiamo, siamo andati, sono andati) a cenare.
3. Tu (cucini, cucina, hai cucinato) molto bene.
4. Un cliente (va, andiamo, è andato) alla cassa per pagare.
5. Il vitto (è stato, è, sei) molto buono.
6. Io (vado, siamo andati, sono andato) a giocare nel parco.
7. Egli (è, è stato, sei stato) molto puntuale.
8. Tu (scrivi, scrive, hai scritto) una cartolina d'auguri.
9. Il signore (leggi, legge, ha letto) il giornale italiano.
10. Voi (comprate, avete comprato, comprano) un gelato alla fragola.

B. **Verbs ending** in *-care* and *-gare*. Rewrite each sentence, using first the present tense and then the future tense of the verb in parentheses.

1. (toccare) Paolo ed io non _____ i fiori con le mani.
2. (investigare) La polizia _____ la causa di questo crimine.
3. (pagare) Tu _____ il biglietto del treno.
4. (cercare) Noi _____ le origini della nostra famiglia.
5. (pregare) Io _____ in chiesa tutte le domeniche.
6. (indicare) Voi _____ la strada al turista.
7. (spiegare) Il maestro _____ la lezione agli studenti.
8. (giocare) Le due squadre _____ al calcio nello stadio.
9. (negare) Tu non _____ mai la verità.
10. (dimenticare) Noi non _____ mai i nostri amici.

III. Struttura della lingua

Read this paragraph and then select the word that is needed to complete each statement from those given below.

Ieri sono andato al cinema a vedere un film _____1_____ . Un marziano viene _____2_____ la città _____3_____ una navicella spaziale. Il marziano è _____4_____ strano, perchè non è come le persone _____5_____ conosco. Ha soltanto un occhio ed un braccio. Parla una lingua che non _____6_____ . Tutti hanno paura _____7_____ marziano perchè è alto, grasso e brutto. Una ragazza _____8_____ offre un gelato alla crema, ed il marziano _____9_____ mangia in fretta. Poi va insieme con lei in un caffè _____10_____ prendere un altro gelato ed una bibita. Quello che mangiamo noi gli piace _____11_____ .

lo	in	strano
che	a	gli
molto	del	verso
davvero	capisco	

146

AVVIAMENTO ALLA COMPOSIZIONE ED ALLA DISCUSSIONE

Create a story based on the topic *Ieri sera mi ha fatto visita un marziano.* You may use these suggested cues:

1. Chi ti ha fatto visita ieri sera?
2. Con che è venuto?
3. Sai descriverlo?
4. Hai avuto paura?
5. Che ti ha detto?
6. Quando se n' è andato?
7. Tornerà ancora?

30. In una trattoria

I. Studio del vocabolario

A. Match these antonyms.

A		B	
1.	primo	a.	dietro
2.	fredda	b.	moltissimo
3.	dura	c.	ultimo
4.	tutto	d.	alzarsi
5.	pochissimo	e.	calda
6.	davanti	f.	niente
7.	sedersi	g.	morbida

B. Many English words that end in *-or* end in *-ore* in Italian. For example: error — errore.

Give the Italian equivalent of these words.

1. inferior	6. rigor
2. senator	7. splendor
3. color	8. tremor
4. cantor	9. sopor
5. furor	10. stupor

II. Verbi (Ripasso dei Dialoghi 1–30)

Complete these statements with the appropriate form of the verb indicated in parentheses in the present.

1. Tu _____ la guida del gruppo. (essere)
2. La mamma _____ una frittata con le cipolle. (preparare)
3. Noi _____ molti esercizi in palestra. (fare)
4. Voi _____ un appuntamento col direttore. (avere)
5. Essi _____ un caffè ed una pasta. (volere)
6. Il cameriere _____ l'ordine. (prendere)
7. Io _____ nella stanza da pranzo. (entrare)
8. L'albergatore _____ Raimondo. (chiamarsi)
9. Noi _____ sempre la verità _____ . (dire)
10. Essi _____ molto presto. (alzarsi)
11. Noi _____ moltissimo. (dormire)

12. Egli non _____ cantare molto bene. (sapere)
13. Io _____ alle otto della mattina. (uscire)
14. Maria _____ in una lavanderia. (entrare)
15. Adriano e Gianluca _____ a giocare nel parco. (andare)
16. L'elettricista _____ i fili della luce. (riparare)
17. Mario _____ a sua moglie. (telefonare)
18. Il cliente _____ il conto. (pagare)
19. La Galleria degli Uffizi _____ a Firenze. (trovarsi)
20. Carlo _____ sulla poltrona. (sedersi)

III. Struttura della lingua

Select the correct response in each statement.

1. Questo è il cappotto _____ signora.
   a. del   b. della   c. delle   d. dello
2. A me _____ la cucina italiana.
   a. piacciono b. piaci   c. piace   d. piacciamo
3. Paolo ed io andiamo _____ cinema.
   a. del   b. con   c. al   d. della
4. I turisti entrano _____ un ristorante.
   a. di   b. dello   c. in   d. per
5. La signorina chiede una bistecca.
   Lei _____ chiede.
   a. lo   b. le   c. li   d. la
6. Sono le quattro e mezzo _____ pomeriggio.
   a. del   b. della   c. dei   d. delle
7. E' una chiesa _____ .
   a. antico   c. antica
   b. antiche   d. antichi
8. _____ chi è questo quaderno?
   a. con   b. per   c. a   d. di
9. Silvia compra _____ maglie.
   a. questa b. questo   c. questi d. queste
10. Il dottor Santoro è _____ bravo chirurgo.
    a. uno   b. un   c. una   d. un'
11. Questa strada è molto _____ .
    a. lungo   b. lunghi   c. lunga   d. lunghe

149

12. Voglio comprare il dizionario! _____ !
    a. Comprala   c. Compralo
    b. Comprali   d. Comprale
13. Noi andiamo a visitare _____ nonni.
    a. il nostro   c. le nostre
    b. i nostri   d. la nostra
14. Tu stai _____ lavorare in una panetteria.
    a. con   c. per
    b. a   d. in
15. Non c'è _____ cliente nella trattoria.
    a. alcuna   c. alcuni
    b. alcuno   d. alcun

AVVIAMENTO ALLA COMPOSIZIONE ED ALLA DISCUSSIONE

Create a story based on the topic *Uno strano incidente capitato in una trattoria.* You may use these suggested cues:

1. Dove è capitato?
2. Che cosa è avvenuto?
3. Quando è avvenuto?
4. Perchè è avvenuto?
5. Come è finito?

Master Italian—English Vocabulary

A

a, ad to, at, in, by
abbastanza enough
abbondanza abundance, plenty
abbondante abundant, plentiful
abitare to live, to reside
abito suit (for men); dress (for women)
abitudine *(f.)* habit, custom, practice
avere l'abitudine di to be in the habit of
accadere to happen, to occur
accanto near, nearby
accanto a near
accettare to accept
accompagnare to accompany, to escort
accomodarsi to sit down, to take a seat
acqua water
addio goodbye
addormentarsi to fall asleep
adesso now
aereo airplane
aeroporto airport
affatto, quite, entirely
niente affatto not at all
agli = a + gli to the
ai = a + i to the
aiutare to help
al = a + il to the
albergatore *(m.)* hotelier
albergo hotel *(pl.)* **alberghi**
albero tree
albicocca apricot
alcuno any, some
alcuni a few, several
all' = a + l' to the
alla = a + la to the
alle = a + le to the
allo = a + lo to the
allora then, at that time, in that case, so
almeno at least
alto high, tall
altro other
che altro? what else?

alunno student, pupil
alzarsi to rise, to get up
amabile amiable, gracious
amare to love
amico friend
ammalato ill, sick
anche also, too, even
ancora yet, still
andare to go
andare a passeggio to go for a walk
animale *(m.)* animal
anno year
antico ancient, old
antipatico disagreeable, uncongenial, dislikable
aperitivo aperitif
aperto open
apparecchiare to prepare
apparecchiare la tavola to set the table
appena *(adv.)* hardly, scarcely; *(conj.)* as soon as
appetito appetite
appetitoso appetizing
appiccicoso sticky
apprendere to learn
appuntamento appointment, date
aprire to open
arancia orange
aranciata orangeade
arrivare to arrive
arrivederci till we meet again
asciugare to dry, to dry up, to wipe
ascoltare to listen
aspettare to wait
assai much, very much, many, a lot of
assegno check
attaccapanni *(m.)* coathanger
attenzione *(f.)* attention
fare attenzione to pay attention
attore *(m.)* actor
augurio *(pl.)* **auguri** wish
cartolina d'auguri greeting card

aula classroom
automobile *(f.)* automobile, car
autostrada highway
apprendere to learn
avanti before, forward, in front of, in the presence of
avvenire to happen, to take place
avvicinarsi to approach, to come near
avvocato lawyer
azione *(f.)* action
azzurro blue

B

bacio kiss
ballare to dance
ballo dance
banca bank
banchetto banquet, feast
barbiere *(m.)* barber
basculla scale
basso short, low
basta enough!
bello beautiful, handsome, fine, nice
bene well
  star bene to be well
benissimo very well
benvenuto welcome
bere to drink
berretto cap
bevanda drink, beverage
bianco white
bibita drink, beverage
biblioteca library
bicicletta bicycle
biglietto ticket
biologia biology
  corso di biologia biology class
birra beer
biscotteria cookie store, cookie factory
bisogno need
  aver bisogno di to need
bistecca beefsteak
bocca mouth
borsa purse, handbag
borsetta handbag, pocketbook
bottega shop, store
braccialetto bracelet
braccio *(m.)* arm *(pl.)* **le braccia**
bravo good, able, honest

bravo ragazzo good boy
bravo! well done!
broccolo broccoli
brutto ugly
bugia lie
buono good
burro butter
bussare to knock
bussare alla porta to knock on the door
buttare to throw
buttare una moneta to toss a coin

C

cadere to fall
caffè coffee, coffeehouse
caffellatte white coffee, coffee and milk
cagnolino little dog, puppy
calcio soccer
  partita di calcio soccer game
calcolo calculation, estimate
  fare un calcolo to estimate
caldo heat, warmth
  avere caldo to feel warm
  far caldo to be warm
caldo *(adj.)* hot, warm
calzino sock
calzolaio shoemaker
calzoni *(m.pl.)* trousers, pants
cambiare to change, to exchange
cambiare un assegno to cash a check
camera room
camera da letto bedroom
cameriere *(m.)* waiter
camicia shirt *(pl.)* **le camice**
camminare to walk
campagna country, countryside
cancellare to cancel, to erase
candela candle
cane *(m.)* dog
cantare to sing
cantina cellar
canzone *(f.)* song
capello hair *(pl.)* **i capelli** hair
  farsi tagliare i capelli to get a haircut
capire to understand
capitale *(f.)* capital city
capo *(m.)* head, chief, boss

cappello hat
cappotto overcoat
cappuccino coffee with steamed milk
carcere *(m., f.)* jail, prison
carciofo artichoke
cariato decayed
carne *(f.)* meat
Carnevale *(m.)* carnival
caro dear, expensive
carta paper
carta di credito credit card
cartella schoolbag
cartoleria stationery store
cartolina card, postcard
cartolina d'auguri greeting card
casa house
caso case, chance
   per caso by chance
cassa cashier's desk
cassata kind of Sicilian cake or
   ice cream
cassetto drawer
cassiere *(m.)* cashier, teller
cattivo bad
cavallo horse
causa cause, motive
causare to cause
celebrare to celebrate
cena supper
cenare to have supper
centesimo *(adj.)* hundredth *(n.)*
   cent, penny
cento one hundred
cercare to look for
cercare di to try
cerimonia ceremony
cerimonia nuziale wedding
   ceremony
certamente certainly
certo certain, sure; *(adv.)*
   certainly
cetriolo cucumber
che? what?
che cosa? what?
che which, that, than
chi? who? whom?
chiamare to call
chiamarsi to be named, to be
   called
   (Io) mi chiamo my name is
chiaro clear
chiave *(f.)* key
chiedere to ask

chiesa church
chirurgia plastica plastic surgery
chirurgo surgeon
chiudere to close
ci there, here
ci us, to us
ciao goodbye! so long!
cibo food
cieco blind
cinema *(m.)* movies
cinque five
cinto *(p. part,* of **cingere**)
   surrounded, encircled
cioccolata chocolate
cioè that is, namely
cipolla onion
circolare to circulate
circolo club
città city
classe *(f.)* class
cliente *(m., f.)* client, customer
coccodrillo crocodile
cogliere to pick, to pluck, to
   gather
cogliere i frutti to reap the fruits
colazione *(f.)* breakfast
collana necklace
collezione *(f.)* collection
collo neck
colonnato colonnade
colore *(m.)* color
coltello knife
come how, as, like
cominciare to begin, to start, to
   commence
commerciante merchant, dealer
commesso salesman, clerk
comodo comfortable, convenient
compagno companion
compito assignment, homework
compleanno birthday
completo complete, full
comportarsi to behave
comprare to buy
   fare delle compre to go
   shopping
comprendere to understand
comunque however
con with
condurre to lead, to drive, to
   conduct
confidenza confidence
   in confidenza in confidence

conoscere to know, to meet
consegnare to deliver, to entrust
consiglio advice
consultare to consult
consumo consumption, use
  prezzi al consumo retail prices
contabile *(m.)* bookkeeper,
  accountant
contenere to contain
conto bill
contorno contour, outline, side
  dish
controbattere to refute, to
  confute, to rebut
conversare to talk, to converse,
  to chat
convincere to convince, to
  persuade
coprire to cover
coricarsi to go to bed
correggere to correct
correre to run
corso course, class
cortese kind, polite
corto short
così thus, so
così così so so
  proprio così just like that
costare to cost
  quanto costa? how much does
  it cost?
costoso expensive
cotone *(m.)* cotton
cotto (*p. part.* of **cuocere**) cooked
  ben cotto well done
cravatta tie
creatura creature
credere to believe
credito credit
  carta di credito credit card
crimine *(m.)* crime
cucchiaio spoon
cucchiaino teaspoon
cucina kitchen
cucinare to cook
cucire to sew, to stitch
cugino cousin
cuocere to cook
curare to take care of, to cure
custodire to keep, to protect, to
  guard

D

da from, by, at, since, as
dà gives
dagli = da + gli from the
dai = da + i from the
dal = da + il from the
dall' = da + l' from the
dalle = da + le from the
dallo = da + lo from the
dammi give me
dare to give
davanti a in front of
debbo (devo) I must
debole weak
decidere to decide
decorare to decorate
decorazione *(f.)* decoration
degli = di + gli of the
dei = di + i of the
del = di + il of the
delizioso delicious
dell' = di + l' of the
della = di + la of the
delle = di + le of the
dallo = di + lo of the
denaro (danaro) money
dente *(m.)*. tooth
dentista *(m., f.)* dentist
dentro within, inside, in
deposito deposit
descrivere to describe
descrizione *(f.)* description
desiderare to desire, to wish
desiderio desire
destra right hand
  a destra on (to) the right
destro right, right hand
  lato destro right-hand side
devo I must
di *(prep.)* of, from, about
di *(conj.)* than
dice he (she) says
dichiarazione *(f.)* declaration,
  statement
dicono they say
dieta diet
  stare a dieta to be on a diet
dietro behind
difficile difficult, hard
difficoltà difficulty
dimenticare to forget
dipendente *(m., f.)* employee

direttore *(m.)* director, principal
dirigente *(m.)* manager, executive
disco record
discoteca discoteque
discreto discreet, fair, good enough
disgustevole sickening, disgusting
dispiacersi to be sorry
  mi dispiace I am sorry
dispensa pantry
divano couch, sofa
diventare to become
diverso different
divertente amusing
  spettacolo divertente amusing show
divertirsi to enjoy oneself, to have a good time
dividere to divide, to split
dizionario dictionary
dobbiamo we must
doccia shower
dogana customs
doganiere customs inspector
dolce *(adj.)* sweet
dolce *(m.)* dessert
dolci candy, sweets
dolore *(m.)* pain, ache
domanda question
  fare una domanda to ask a question
domandare to ask
domani tomorrow
domenica Sunday
donna woman
dono gift
dopo after, afterwards
dottore *(m.)* doctor
dottore in chirurgia
  plastica plastic surgeon
dove where
dov'è? where is?
dovere must, to have to
drogheria grocery store
dubitare to doubt
due two
duro hard

E

e, ed and

ecco here is, here are
egli he
elegante elegant
elenco list
elettricista *(m.)* electrician; *(pl.)*
  gli elettricisti
entrare to enter, to come in
Enzo Vincent
errore *(m.)* error, mistake
esame *(m.)* examination, test
esattamente exactly
escursione *(f.)* excursion, trip
esempio example
esercito army
esercizio exercise
essa she, it
esse *(f. pl.)* they
essere to be
essi *(m. pl.)* they
esso it
estate *(f.)* summer
  d'estate in the summer
estrarre un dente to pull a tooth

F

fa he does, he makes
fabbrica factory
faccia face
faccio I do, I make
facile easy
fame *(f.)* hunger
  aver fame to be hungry
famiglia family
famoso famous
fare to do, to make
  che fai? what are you doing?
farmacia drugstore
fastidio annoyance
  dar fastidio a to annoy
favola fable, tale
fazzoletto handkerchief
febbre *(f.)* fever
felice happy
festa feast
festa da ballo ball
festeggiare to celebrate
fetta slice
fettuccine *(f. pl.)* noodles
  alla romana roman style
fiaccola torch
fianco side
  a fianco di beside

fidanzato fiancè, sweetheart
figlia daughter
figlio son
figura figure
filo wire
  i fili della luce electric wires
finale *(adj.)* final
finale *(m.)* finale, conclusion
fine *(f.)* end
finestra window
finire to finish, to end
finocchio fennel
fiore *(m.)* flower
Firenze Florence
firmare to sign
fiume *(m.)* river
foglio sheet
fontana fountain
forbici scissors
forchetta fork
formaggio cheese
forse perhaps
forte strong, hard
fortuna fortune, luck
fra among, between
fragola strawberry
francese French
frase sentence
fratello brother
freddo *(adj.)* cold *(m.)* cold
  aver freddo to feel cold
far freddo to be cold
frequenza frequency
fretta haste
  in fretta in a hurry
  aver fretta to be in a hurry
frigorifero refrigerator
frittata omelet
frugare to rummage
frutta fruit
fuoco fire
fuori outside, out, off

G

Galleria degli Uffizi Uffizi
  Gallery
gamba leg
garbato polite, graceful
garofano carnation
gatto cat
gelare to freeze
gelateria ice cream parlor

gelato ice cream
generalmente generally
generi alimentari foodstuffs
Genova Genoa
gentile kind, polite, courteous
gettare to throw
ghiaccio ice
già already
giacca jacket
giallo yellow
giardino garden
giardino pubblico park
giocare to play
giocare al calcio to play soccer
giocattolo toy
gioia joy
giornale *(m.)* newspaper
giorno day
Giovanni John
giovedì Thursday
girare to turn
girare a destra (a sinistra) to
  turn to the right (left)
gita excursion, trip
giunta **per giunta,** in addition,
  moreover
gli *(m. pl.)* the
gola throat
gonna skirt
grammatica grammar
grande big, large, great
grasso fat
grazie thank you, thanks
guadagnare to earn
guadagnarsi da vivere to earn
  one's living
guanciale jowl
guanto glove
guardaroba *(m.)* wardrobe,
  cloakroom
guardare to look at, to watch
guida guide
guida turistica guidebook
guidare to guide, to lead, to
  drive
gusto taste, flavor
gustoso tasty

I

i *(m. pl.)* the
idraulico plumber
ieri yesterday

ieri sera last night
il *(m. s.)* the
illustre illustrious, famous
immediato immediate
imparare to learn
impiegare to employ, to use
  quanto impiega? How long
  does it take?
importante important
improvviso sudden
  all'improvviso suddenly
in in
incantevole charming
incendio fire
inchiesta inquiry
incominciare to begin
incontrare to meet
indietro behind, back
indirizzo address
indossare to wear
infastidirsi to be annoyed
infermiera nurse
informare to inform
inoltre besides, in addition
insegnare to teach
insieme together
insopportabile unbearable
intelligente intelligent
interesse *(m.)* interest
internazionale international
interrompere to interrupt
interpretare to interpret
intervallo pause, recess,
  intermission
intorno around
invece instead, on the contrary
invitare to invite
invito invitation
invitati guests
io I
Italia Italy
italiano Italian

L

l' = **la, lo** the
la *(art. f. s.)* the
la *(pron.)* her, it
là there
lana wool
lanciare to throw
largo large, wide

lasagne lasagne, variety of
  macaroni
lato side
latte *(m.)* milk
lattuga lettuce
lavagna chalkboard
lavandaio laundry man
lavanderia laundry
lavare to wash
lavorare to work
lavoro work
le *(art. f. pl.)* the
le them, to her
legge *(f.)* law
leggendario legendary
leggere to read
lei she, her
Lei you
lento slow
leone *(m.)* lion
lettera letter
letto bed
lettura reading
lezione *(f.)* lesson
li *(pron.)* them
lì *(adv.)* there
libbra pound
libro book
limonata lemonade
limone *(m.)* lemon
lingua tongue, language
liquore *(m.)* liqueur, liquor
lira lira (unit of Italian money)
lo *(art. m.s.)* the
lo *(pron.)* him, it
lontano far, distant
lontano da away from, far from
Loro *(pol. pl.)* you, to you
loro *(pron.)* they, them, to them
loro *(poss. adj. or pron.)* their,
  theirs
lotteria lottery
lui he, him
Luigi Louis
luna moon
luna di miele honeymoon
lunedì *(m.)* Monday
lungo long
luogo place *(pl.)* **luoghi**

M

ma but, however

macchina machine, car
macellaio butcher
macelleria butcher shop
madre *(f.)* mother
maestro teacher
magazzino warehouse, store
  grande magazzino department
    store
maggio May
maggiore greater, greatest, older,
  oldest
maglia sweater
magnifico magnificent
magro thin, slender
mai ever
  non ... mai never
malattia sickness
malato sick person, patient
male *(adv.)* badly
male *(m.)* evil, ache
  far male to ache, to hurt
    somebody
mamma mother
mancia tip
mandare to send
mangiare to eat
manica sleeve *(pl.)* **maniche**
mano *(f.)* hand *(pl.)* **le mani**
margherita daisy
marmellata jam
martedì Tuesday
marziano Martian
masticare to chew
matematica mathematics
materia matter, subject
matita pencil
matrimonio matrimony, wedding
mattina morning
maturo mature
me me, myself
medicina medicine
medico physician, doctor
meglio better
mela apple
meno less, minus
mentre while
menzionare to mention
meraviglioso wonderful,
  marvelous
mercato market
  a buon mercato cheaply
mercoledì Wednesday
meritare to deserve
meta destination, goal, aim

mettere to place, to put
mettere in mostra to show
mezzo half, middle
  in mezzo a in the middle of
mi *(pron.)* me, to me, myself, to
  myself
mica *(adv.)* (not) at all!
microbo microbe
migliore better
Milano Milan
minestra soup
minuto minute
mio, mia, miei, mie my
moderno modern
modo manner, way
moglie *(f.)* wife
molare *(m.)* molar (tooth)
molti many
molto *(adj.)* much, a lot of
molto *(adv.)* very, quite
momento moment
moneta money, coin
montagna mountain
monumento monument
morbido soft, tender
mortadella Bologna sausage
mostrare to show
mozzarella mozzarella (kind of
  Italian soft cheese)
museo museum

N

Napoli Naples
naso nose
Natale *(m.)* Christmas
naturalmente naturally, of course
nave *(f.)* ship
navicella spaziale spaceship
ne *(pron.)* of it, of her, of him, of
  them, about it, about them,
  some of it, any of it
nè *(conj.)* neither, nor
neanche *(adv.)* not even, nor
necessario necessary
negli = in + gli in the
negozio shop, store
negozio di generi
  alimentari grocery
nei = in + i in the
nel = in + il in the
nell' = in + l' in the
nella = in + la in the

nelle = **in** + **le**   in the
nello = **in** + **lo**   in the
nemmeno   not even, nor
nero   black
nessuno   nobody, no one, none
niente   nothing
noi   we
noioso   boring, annoying
non   not
nonna   grandmother
nonno   grandfather
nord   north
normalmente   normally, usually
nostro, nostra, nostri, nostre   our
notizia   news
notte *(f.)*   night
nozze *(f. pl.)*   wedding, marriage
  ceremonia nuziale   wedding
nudo   naked
nulla   nothing
numero   number
nuotare   to swim
nuovo   new

O

o, od   or
obbedire   to obey
occupato   occupied, busy
officina   shop, worskshop
offrire   to offer
oggi   today
ogni   each, every
ognuno   everyone, each
onesto   honest
onomastico   patron saint's day
operare   to operate
operaio   workman, worker
ora *(adv.)*   now
ora *(f.)*   hour
orario   schedule
  in orario   on time
ordine *(m.)*   order
orecchio   ear
oreficeria   jewelry shop
origine *(f.)*   origin
orologio   watch, clock
orribile   horrible
orrore *(m.)*   horror
ortaggio   vegetable
ospedale *(m.)*   hospital

P

pacchetto   package
padre *(m.)*   father
paese *(m.)*   country, small town
pagare   to pay
paio   pair *(pl.)* **le paia**
palestra   gymnasium
pallacanestro *(f.)*   basketball
panciotto   vest
pane *(m.)*   bread
panetteria   bakery
panettiere   baker
panno   cloth
pantaloni *(m. pl.)*   trousers
papà *(m.)*   dad
parcheggio   parking, parking lot
parco   park
parecchio   a good deal of, a lot of
parecchi   several
parente *(m. f.)*   relative
parlare   to speak, to talk
parola   word
parte *(f.)*   part
partenza   departure
particolare   particular, private
partire   to leave, to depart
partita   game, match
partita di calcio   soccer game
passare   to pass
passeggero   passenger
passeggio   walk, promenade
  andare a passeggio   to take a
  walk
portare a passeggio   to take for a
  walk
pasta   cookie
pasticceria   pastry shop
patata   potato
patate fritte   French fries
paura   fear
  aver paura di   to be afraid of
pecorino   sheep's milk cheese
penna   pen
peperoni   peppers
per   for, by, because of, on
  account of, across
pera   pear
perchè   because
perchè?   why?
perdere   to lose
perdinci   good heavens!
periodo   period

159

periodo di Carnevale Carnival season
permettere to permit, to allow, to let
però but, however
persona person
pesare to weigh
pesca peach
pesce *(m.)* fish
petto breast, chest
piacere pleasure
per piacere please
piangere to cry, to weep
piantare to plant
piatto dish, plate
piazza square, plaza
piccolo small, little
piede *(m.)* foot
pieno full
pilota pilot
pisello pea
pistacchio pistachio
pittore *(m.)* painter
pittura painting
più more, plus
po' = **poco** little
poco little
poesia poem
poi then, after, afterward
polizia police
poltrona armchair
pomeriggio afternoon
pomodoro tomato
ponte *(m.)* bridge
porchetta roast suckling pig
portare to bring, to bear, to wear
portiere *(m.)* doorman
possibile possible
postino mailman
posto place, seat
potere to be able, can, may
povero poor
pranzare to dine
pranzo dinner
precedente preceding
la sera precedente the night before
preferire to prefer
prego! please!, don't mention it, you are welcome
premio prize, award
prendere to take, to catch
preparare to prepare

presentare to present
preside *(m.)* principal
presso near
prestito loan
prezzo price
professionista *(m. f.)* professional
professore *(m.)* professor, teacher
profumare to smell
programma *(m.)* program
promettere to promise
pronto ready
prosciutto ham
provolone *(m.)* provolone (a sharp Italian cheese)
prudente prudent, cautious
prugna plum
pulire to clean
punto point
in punto on the dot
puntuale punctual, prompt
può *(pres.* of **potere)** he can
purgante *(m.)* laxative

Q

qua here
quaderno notebook
quadro picture, painting
qual = **quale**
qualche some, a few, any
qualcosa something, anything
qualcuno someone, somebody
quale which, what, who, whom
quando when
quanto how much *(pl.)*
quanti how many
quartiere *(m.)* quarter, district
quarto fourth, quarter
quasi almost
quello that *(pl.)* those; *(sing.)* **quel, quella, quell'**; *(pl.)* **quei, quei, quegli, quelle**
questo this, this one, this matter; *(pl.)* **questi** these
qui here
qui vicino nearby
quieto quiet, calm, peaceful
quindi therefore, then
quinto fifth

R

raccontare to relate, to tell

racconto story
radio *(f.)* radio
raffreddato cooled
  io sono raffreddato I have a
  cold
ragazza girl
ragazzo boy
ragione *(f.)* reason
  aver ragione to be right
rallegrarsi to rejoice, to be glad
rapidamente swiftly
raro rare
rassegna review
  passare in rassegna to review
rattoppare to patch up, to mend
rauco hoarse, harsh-sounding
regalare to give a present
realizzare to realize, to carry
  out, to come true
regalo gift, present
  fare un regalo to give a gift
regione *(f.)* region
regolare *(adj.)* regular; *(v.)* to
  regulate
repubblica republic
respirare to breathe
resto remainder, change, balance
ricco rich
ricevimento reception
ricerca search, research
richiedere to ask (again), to
  request, to demand
richiesta request, demand,
  petition
ricevere receive
ricordare to remember, to
  remind
ricotta Italian cottage cheese
ridere to laugh
riflessione *(f.)* reflection
rimanere to remain, to stay
rimproverare to scold, to
  reprimand
rinfresco refreshment
ringraziare to thank
riparare to repair, to fix
ripararsi to protect oneself, to
  take refuge
ripetere to repeat
rispettare to respect
rispondere to answer
ristorante *(m.)* restaurant
ritardo delay, lateness

essere in ritardo to be late
ritirare to collect, to take back
ritornare to return, to come back
ritorno return
  far ritorno to return
riuscire a to succeed in
rivista magazine
rivolgere to turn, to address
Roma Rome
rompere to break
rosa rose
rosso red
rotto broken, shattered
rosticceria grill, rotisserie
rovinare to ruin, to spoil

S

sa (pr. of **sapere**) he knows
sabato Saturday
saggio wise
salire to go up, to come up, to
  climb
salone *(m.)* hall
salone da barbiere barbershop
salotto living room, parlor
sano healthy, sound
sapere to know, to know how
saporito tasty
sbagliare to make a mistake
sbaglio mistake, error
scadente poor, second-rate,
  inferior
scaffale *(m.)* bookcase, bookshelf
scappare to run, to flee
scarpa shoe
scarso scarce, short
scendere to go down, to come
  down
sciatto sloppy
scienza science
sciocco silly, foolish
sciupare to spoil, to wear out, to
  waste
sconosciuto *(adj.)* unknown;
  (n.) stranger
scontrino ticket, check
scoperta discovery
  la scoperta dell'America the
  discovery of America
scopo purpose, aim, goal
  per quale scopo? for what
  purpose?

scorrere to flow, to run
scorso last, past
scortese impolite, rude
scultore *(m.)* sculptor
scuola school
se if, whether
sè himself, herself, yourself, itself, oneself, themselves
scrivere to write
secondo *(adj.)* second; *(prep.)* according to
sedere to sit
sedersi to sit down
segretaria secretary
seguente following, next
  il giorno seguente the next day
seguire to follow, to attend
sembrare to seem, to appear
semplice simple
semplicemente simply
sempre always
sentire to feel, to hear, to listen to
sentirsi to feel
sentirsi bene to feel well
senza without
senz'altro without any doubt, of course
sera evening
servire to serve
servizio service
seta silk
sete *(f.)* thirst
  aver sete to be thirsty
settimana week
settore sector, branch, section
sgranocchiare to crunch, to munch
si himself, herself, yourselves, themselves
sì yes
siamo we are
siccome as, since, because
siete you are
sigaro cigar
sigaretta cigarette
significare to mean, to signify
significato meaning
signora lady, Mrs., madam, woman
signore *(m.)* gentleman, sir, Mr., man
signorina young woman, Miss

silenzio silence
simpatico nice, pleasant, agreeable, congenial
sinistra left hand; **a sinistra** on the left
sinistro left
  lato sinistro left-hand side
sintomo symptom
smarrire to mislay, to lose
smarrirsi to get lost
smettere to stop, to desist
socio member
soffiare to blow
soffiarsi il naso to blow one's nose
sogno dream
soldato soldier
soldo penny
soldi money
solo alone
soltanto only
sondaggio d'opinioni sampling of public opinion, Gallup poll
sonno sleep
  aver sonno to be sleepy
sono I am, they are
sopportare to bear, to stand
sopra on, upon, above
soprabito overcoat
sorella sister
sottaceti pickles
sotto under, below, down
spaghetti spaghetti
spalla shoulder
spazzolare to brush
specialmente especially
spedire to send
spendere to spend
sperare to hope
spesa expenditure, expense, shopping
  fare la spesa to shop
spesso often
spettacolo show
spiegare to explain
spiegazione *(f.)* explanation
sporcare to dirty
sposare to marry
sposo bridegroom
sposini newlyweds
spumone *(m.)* spumone (kind of ice cream)
spuntino snack

fare uno spuntino to have a snack
squadra team
squillare to ring
squisito exquisite, delicious
stadio stadium
stamattina this morning
stanco tired
stanotte tonight
stanza room
stanza da bagno bathroom
stare to be
stasera tonight
stazione *(f.)* station
stato *(p.p.* of **essere** and **stare)** been
stesso same
stirare to iron
stoffa cloth, material
stomaco stomach
  mal di stomaco stomachache
strada road, street
strano strange
studente *(m.)* student
studiare to study
studio study, office (of professional man), studio
stupendo stupendous
su on, upon, up, over, above
subito immediately, right away
succedere to happen
succo juice
sud south
sudare to sweat
sufficiente sufficient, adequate
sul = su + il on the
superare to surpass, to exceed, to be left
  la stoffa che supera the scrap of cloth
superiore superior, upper, higher
supermercato supermarket
svegliarsi to wake up (oneself)
svelto quick

T

taccagno stingy
tagliare to cut
tagliatelle *(f. pl.)* noodles
taglio cut
  taglio di capelli haircut
tanti so many, as many

tanto as, so, so much, as much
tardi late
  più tardi later
tartaruga turtle
tasca pocket
tavolo table
tazza cup
te you, to you *(fam. sing.)*
tè *(m.)* tea
teatro theater
telefonare to telephone
telefonata telephone call
telefono telephone
televisione television
temperatura temperature
tempo time, weather
  a tempo on time
  fa mal tempo the weather is bad
tendina curtain, blind
tenere to hold, to have
terminare to end, to terminate
testa head
  mal di testa headache
ti you, to you *(fam. sing.)*
tirare to pull, to draw
tirare fuori la mano to pull out the hand
tipo type
toccare to touch
topo mouse
Torino Turin
tornare to return
torta cake
torto wrong
  aver torto to be wrong
tovagliolo napkin
tradurre to translate
tranquillo calm, tranquil
trascorrere to pass
trattoria inn, restaurant
treno train
triste sad
troppo too
trovare to find
trovarsi to find oneself, to meet, to be located
tu you *(fam. sing.)*
tubatura pipeline
tuo your; (other forms) **tua, tuoi, tue**
turista *(m., f.)* tourist
tutti everybody

163

tutto *(adj.)*   all, entire
tutto *(adv.)*   entirely, completely

U

ubbidire (obbedire)   to obey
uccello   bird
udire   to hear
ufficio   office
uguale   equal
ultimo   last
un *(m.)*   a, an, one
un' *(f.)*   a, an, one
una *(f.)*   a, an, one
uno *(m.)*   a, an, one
uomo   man *(pl.)* **gli uomini**
uovo   egg *(pl.)* **le uova**
urtare   to hit, to bump
usare   to use
uscire   to go out, to come out
uscita   exit
utile   useful
uva   grape

V

va *(pres.* of **andare)**   he goes
va bene   all right
vado *(pres.* of **andare)**   I go
vaniglia   vanilla
vario   various *(pl.)* several
vecchio   old
vedere   to see
veglione *(m.)*   all-night ball
vendere   to sell
venerdì *(m.)*   Friday
Venezia   Venice
venire   to come
vento   wind
veramente   truly, really
verbo   verb
verde   green
verdura   vegetables
vergogna   shame
  aver vergogna   to be ashamed
verità   truth
vero   true, real
veste *(f.)*   dress
vestirsi   to get dressed
vestito   dress, suit
vestito da uomo   man's suit
vestito da donna   woman's suit,
  dress

vi = ci   there, here
vi   you, to you
via   road, street
viaggiare   to travel
viaggiatore   traveler
viaggio   trip
  fare un viaggio   to take a trip
vicino *(adj.)* near; *(n.)* neighbor
vigneto   vineyard
Vincenzo   Vincent
vincere   to win
vino   wine
visitare   visit
visto *(p.p.* of **vedere)**   seen
vitto   food
vivere   to live
viveri   food, provisions
vocabolario   vocabulary
voce *(f.)*   voice
voglia   wish, desire
  aver voglia di   to feel like
voi   you *(pl. fam.)*
volare   to fly
volere   to want
volta   turn, time
  quante volte?   how many
    times?
  molte volte   many times
vostro   your, yours *(other forms):*
  vostra, vostri, vostre

Z

zampa   paw
zia   aunt
zio   uncle
zoccolo   wooden shoe

NTC ITALIAN TEXTS AND MATERIALS

Multimedia Course
Italianissimo 1(Student Book, Annotated Teacher's
    Edition, Activity Book, 4 videocassettes, 4 audio-
    cassettes or 4 compact discs)
Italianissimo 2 (Student Book, Activity Book,
    4 videocassettes, 4 audiocassettes)

Computer Software
Basic Vocabulary Builder on Computer in Italian

Language Learning Material
NTC Language Learning Flash Cards
NTC Language Posters
NTC Language Puppets
Language Visuals

Exploratory Language Books
Let's Learn Italian Picture Dictionary
Let's Learn Italian Coloring Book
My World in Italian Coloring Book
Getting Started in Italian
Just Enough Italian
Multilingual Phrase Book
Italian for Beginners

Conversation Book
Basic Italian Conversation

Text and Audiocassette Learning Packages
Just Listen 'n Learn Italian
Italian for Children
Conversational Italian in 7 Days
Practice & Improve Your Italian
Practice & Improve Your Italian PLUS
How to Pronounce Italian Correctly
Lo dica in italiano

Italian Language, Life, and Culture
L'italiano vivo
Il giro d'Italia Series
    Roma
    Venezia
    Firenze
    Il Sud e le isole
    Dal Veneto all'Emilia-Romagna
    Dalla Val d'Aosta alla Liguria
Vita italiana
A tu per tu
Nuove letture di cultura italiana
Lettere dall'Italia
Incontri culturali

Contemporary Culture—in English
The Italian Way
Toto in Italy
Italian Sign Language
Life in an Italian Town

Italy: Its People and Culture
Getting to Know Italy
Let's Learn about Italy
Il Natale
Christmas in Italy

Songbook
Songs for the Italian Class

Puzzles
Easy Italian Crossword Puzzles

Graded Readers
Dialoghi simpatici
Raccontini simpatici
Racconti simpatici
Beginner's Italian Reader

Workbooks
Sì scrive così
Scriviamo, scriviamo

High-Interest Readers
Dieci uomini e donne illustri
Cinque belle fiabe italiane
Il mistero dell'oasi addormentata
Il milione di Marco Polo

Literary Adaptations
L'Italia racconta
Le avventure di Pinocchio

Contemporary Literature
Voci d'Italia Series
    Italia in prospettiva
    Immagini d'Italia
    Italia allo specchio

Duplicating Masters
Italian Crossword Puzzles
Basic Vocabulary Builder
Practical Vocabulary Builder
The Newspaper

Transparencies
Everyday Situations in Italian

Grammar Handbooks
Italian Verbs and Essentials of Grammar
Complete Handbook of Italian Verbs
Teach Yourself Italian Grammar
Teach Yourself Italian Verbs

Dictionaries
Beginner's Italian and English Dictionary
Zanichelli New College Italian and English Dictionary
Zanichelli Super-Mini Italian and English Dictionary

For further information or a current catalog, write:
National Textbook Company
a division of NTC Publishing Group
4255 West Touhy Avenue
Lincolnwood, Illinois 60646–1975 U.S.A.